Rolf Steininger

Eine vertane Chance

Die Stalin-Note vom 10. März 1952 und die Wiedervereinigung

Eine Studie auf der Grundlage
unveröffentlichter
britischer und amerikanischer Akten

Verlag J.H.W. Dietz Nachf.

2. Auflage 1986

ISBN 3-8012-0112-0
Copyright © 1985 by Verlag J.H.W. Dietz Nachf. GmbH
Berlin · Bonn
Godesberger Allee 143, D-5300 Bonn 2
Umschlag: Karl Debus, Bonn
Satz: Fotosatz Froitzheim, Bonn
Druck und Verarbeitung:
SDV Saarbrücker Druckerei und Verlag GmbH, Saarbrücken
Printed in Germany 1986

Inhalt

Vorbemerkung

Die vorliegende Studie ist identisch mit der Einleitung der parallel veröffentlichten Dokumentation „Eine Chance zur Wiedervereinigung? Darstellung und Dokumentation auf der Grundlage unveröffentlichter britischer und amerikanischer Akten" (= Beiheft 12 des Archivs für Sozialgeschichte) Bonn 1985.

Die Dokumentation hat eine lange Vorgeschichte. Die amerikanischen Akten standen bereits seit 1980 zur Verfügung. Eine Veröffentlichung lediglich dieser Akten schien jedoch wenig sinnvoll, zumal davon auszugehen war, daß die Briten bei der Behandlung der „Stalin-Note" eine gleichermaßen wichtige Rolle gespielt hatten wie insgesamt bei der Formulierung der westlichen Deutschlandpolitik nach 1945. Darauf deutete auch der Hinweis des amerikanischen Außenministers Dean Acheson hin, der bereits 1969 in seinen Erinnerungen (Present at the Creation, New York 1969, S. 630 f.) auf den großen Anteil der Briten verwiesen hatte. Als dann 1983/84 die britischen Akten zugänglich wurden, wurde deutlich, daß sich das Warten gelohnt hatte.

Mit dieser Dokumentation soll die Diskussion über ein gleichermaßen besonders kontroverses, schwieriges und wichtiges Kapitel der deutschen Nachkriegsgeschichte weg von der bisher üblichen Spekulation auf eine solide Grundlage gestellt werden. Der Leser erhält die Möglichkeit, die in der Einleitung formulierten Ergebnisse zu überprüfen und sich selbst ein Urteil über das zu machen, was damals wirklich geschah, von welchen Vorstellungen, Zielen und Kalkülen die Westmächte und Adenauer sich in ihrer „Wiedervereinigungspolitik" haben leiten lassen, inwieweit es gerechtfertigt ist, die „Legende von der verpaßten Gelegenheit" noch weiter zu bemühen, inwiefern Adenauers Prämisse zutrifft, „daß wir die Wiedervereinigung Deutschlands nur erreichen werden mit Hilfe der drei Westalliierten, niemals mit Hilfe der Sowjetunion". Er kann überprüfen, inwieweit die Auffassungen des Autors zutreffen, daß u. a.

1. Stalins Angebot ernst gemeint war, d. h. jene Bedingungen enthielt, unter denen die Sowjetunion bereit war, Deutschland die Wiedervereinigung zuzugestehen, es somit 1952 offensichtlich eine Chance für ein wiedervereintes, militärisch blockfreies Deutschland gegeben hat.

2. Bei den Westmächten die Meinung vertreten wurde, daß Stalins Angebot ernst gemeint war, es aber als zu gefährliche Lösung der deutschen Frage abgelehnt wurde und Westintegration mit Teilung des Landes allemal als die bessere Lösung galt.

3. Das „Ausloten" der „Stalin-Note" am Verhandlungstisch zwar möglich gewesen wäre, aber nicht gewünscht wurde.

4. Die ganze „Notenschlacht" des Jahres 1952 lediglich Taktik war, um insbesondere in der westdeutschen Öffentlichkeit die Westintegration abzusichern und Adenauer „Hilfestellung" zu leisten.

5. Adenauer sich amerikanischer als die Amerikaner verhielt und selbst ein Angebot des amerikanischen Außenministers ablehnte, aus taktischen Gründen mit den Sowjets über das Thema „freie Wahlen" zu sprechen.

6. Der britische Premierminister Winston Churchill 1953 bereit war, auf einer „einsamen Pilgerfahrt" in Moskau auch über ein vereintes, neutralisiertes Deutschland zu verhandeln, „falls die Deutschen dies wünschen".

Adenauer wünschte auch dies nicht, das Ergebnis ist bekannt: Im Mai 1955, fast auf den Tag genau zehn Jahre nach der Kapitulation, endete für den westdeutschen Staat das Besatzungsregime, wurde die Bundesrepublik Deutschland bedingt souverän und Mitglied der NATO. Der Preis dafür war die Festschreibung der Teilung. Ob dieser Preis nicht zu hoch war, ob es damals nicht doch einen anderen Weg der deutschen Geschichte gab, den zu gehen – oder zumindest doch zu prüfen! – es sich im Sinne der Einheit Deutschlands wohl gelohnt hätte, dies war das Thema erbitterter Kontroversen in den Anfangsjahren der Republik. Die erstaunlich erfolgreiche Geschichte der Bundesrepublik in den folgenden Jahren hat diese Kontroverse nur überdeckt, nicht beendet; die Argumente der Kritiker Adenauers haben bis heute nichts von ihrer Gültigkeit verloren. Eine neue Generation beginnt, die alten Fragen und Kontroversen neu zu diskutieren. Und je mehr Akten aus den fünfziger Jahren zur Verfügung stehen, um so solider wird die Grundlage, auf der diese Debatte geführt werden kann. Wenn mit der vorliegenden Dokumentation die Diskussion über dieses Thema neue Impulse erhält und auf die alten Fragen möglicherweise neue Antworten gegeben werden können, dann wäre sehr viel gewonnen, hätte sich der Aufwand gelohnt.

Zum Schluß ein Wort des Dankes: jenen Beamten im Department of State in Washington und in der Eisenhower Library in Abilene, Kansas, die so manches Hindernis auf dem Weg zu den Akten beseitigen halfen, den Mitarbeitern des Public Record Office in London, hier insbesondere Mr. C. D. Chalmers, dem Leiter des Search Department, der immer Zeit für meine Fragen hatte und eine unerläßliche Hilfe bei der Entzifferung so mancher Handschrift war; dem Keeper of Public Records für die Genehmigung, die Dokumente abzudrucken; Mrs. Angela Houston, die bei den Recherchen behilflich war; Sir Frank Roberts, 1951–1954 Leiter der Deutschlandabteilung im Foreign Office, für ein faszinierendes, offenes Gespräch über die britische Deutschlandpolitik; meiner Sekretärin, Fräulein Anita Goestl, für das Entziffern meiner Handschrift; meinen Assistenten Dr. Thomas Albrich und Mag. Klaus Eisterer – der in Paris auch recherchiert hat – für das Mitlesen der Korrekturfahnen, der Redaktion des „Archivs für Sozialgeschichte" für die Aufnahme in die Beiheftreihe dieses Jahrbuches und hier besonders Herrn Dr. Dieter Dowe, der sich von Anfang an mit großem Engagement der Sache angenommen hat, sowie der Redaktionssekretärin, Frau Holde Schwarz, für ihre Geduld und stete Hilfsbereitschaft während der Drucklegung.

Die Arbeit an dieser Dokumentation fiel in die Zeit des Wechsels von Hannover nach Innsbruck, der Rückzug ins Arbeitszimmer wurde dennoch von meiner Frau – wie immer – mit großer Nachsicht begleitet, ihr sei daher dieses Buch gewidmet: für Eva.

Innsbruck, im Mai 1985   R. St.

1. Das Problem und die alten Kontroversen

Am 10. März 1952 überreichte der stellvertretende sowjetische Außenminister Andrej Gromyko den Vertretern der drei Westmächte in Moskau eine Note, in der die sowjetische Regierung u. a. anbot:

1. Wiederherstellung Deutschlands als einheitlicher Staat, und zwar in den Grenzen, „die durch die Beschlüsse der Potsdamer Konferenz der Großmächte festgelegt wurden".
2. Selbstverpflichtung Deutschlands, „keinerlei Koalitionen oder Militärbündnisse einzugehen, die sich gegen irgendeinen Staat richten, der mit seinen Streitkräften am Krieg gegen Deutschland teilgenommen hat".
3. Abzug sämtlicher Besatzungstruppen spätestens ein Jahr nach Inkrafttreten des Friedensvertrages, an dessen Vorbereitung eine gesamtdeutsche Regierung teilnehmen sollte.
4. „[...] eigene nationale Streitkräfte (Land-, Luft- und Seestreitkräfte) [...], die für die Verteidigung des Landes notwendig sind".
5. Eigene Rüstungsproduktion für diese Streitkräfte.
6. Keinerlei Beschränkung der Friedenswirtschaft, des Handels, der Seeschiffahrt und des Zutritts zu den Weltmärkten.
7. Freie Betätigung für demokratische Parteien und Organisationen.
8. Gleichberechtigte Teilnahme aller ehemaligen Angehörigen der deutschen Armee und Nazis (mit Ausnahme verurteilter Kriegsverbrecher) am Aufbau eines friedliebenden, demokratischen Deutschland[1].

Schon bei den Zeitgenossen haben diese „Stalin-Note" und der sich daran anschließende Notenwechsel zu leidenschaftlichen Auseinandersetzungen geführt; bis heute sind sie Gegenstand heftiger, meist mit stark emotionalem Engagement geführter Kontroversen zwischen Politikern, Historikern und Journalisten geblieben. Die „Stalin-Note" – als letzte Chance zur Wiedervereinigung, die vertan wurde – hat sich, wie es Hans-Peter Schwarz auf einer Veranstaltung der Stiftung Bundeskanzler-Adenauer-Haus am 26. März 1981 zu diesem Thema in Rhöndorf formulierte, „zumindest als Frage tief ins kollektive Unterbewußtsein einer ganzen Generation eingesenkt"[2]. Auf der gleichen Veranstaltung wies auch Arnulf Baring auf die enorme Langzeitwirkung dieser Note hin:

> „Wir sind nie wieder von dieser März-Note losgekommen und werden auch nicht von ihr loskommen [...]. Die Frage ist nicht Geschichte [...]. Es geht hier um eine ganz aktuelle Frage, die eine aktuelle Frage bleiben wird, solange die Deutschen mit ihrer eigenen Staatlichkeit nicht ins Reine gekommen sind."[3]

All dies ist nicht verwunderlich, geht es doch letztlich um die Frage, wer für die fortdauernde Spaltung des Landes verantwortlich ist.

Das Problem der „verpaßten Chance" ist spätestens 1956 mit aller Schärfe ins öffentliche Bewußtsein gerückt worden.

In jenem Jahr veröffentlichte Paul Sethe (bis 1955 Mitherausgeber der FAZ), der 1952 vehement Verhandlungen mit der Sowjetunion gefordert hatte und nach erfolgter Westintegration der Bundesrepublik keine Chance mehr für eine Wiedervereinigung sah, sein Buch „Zwischen Bonn und Moskau", in dem er von den „versäumten Gelegenheiten" des Jahres 1952 sprach[4]. Diese These nahmen Thomas Dehler (FDP, 1952 Justizminister im Kabinett Adenauer) und Gustav Heinemann am 23. Januar 1958 in jener berühmten Nachtdebatte im Bundestag auf und stellten sie in den Mittelpunkt einer gnadenlosen Generalabrechnung mit der bisherigen Deutschlandpolitik Adenauers[5]. In der „wohl heftigsten und leidenschaftlichsten Redeschlacht, die dieses Parlament bisher überhaupt erlebt hat"[6], schwieg Adenauer. Seitdem ist dieses Thema nicht mehr zur Ruhe gekommen. Das hat sich in zahlreichen Veröffentlichungen niedergeschlagen, in denen es im Grunde immer um die gleichen Fragen ging, nämlich:

1. Wie steht es mit der „Ernsthaftigkeit" des sowjetischen Angebotes, d. h. welche Absichten hat Stalin mit seiner Initiative verfolgt? War die damalige Kreml-Führung bereit, ihre Deutschlandpolitik zu ändern? Lag es in ihrem Interesse, ein militärisch blockfreies Gesamtdeutschland zuzugestehen?

2. Von welchen Vorstellungen, Zielen und Kalkülen haben sich die Westmächte bei der Behandlung der sowjetischen Note, die letztlich auf eine Ablehnung des sowjetischen Angebotes hinauslief, leiten lassen? Wie groß war der Widerspruch zwischen den öffentlichen Verlautbarungen bzw. der im „Deutschlandvertrag" unterschriebenen Verpflichtung zur Wiedervereinigung und dem, was intern darüber gedacht wurde?

3. Welche Rolle hat Adenauer bei der Notenpolitik der Westmächte gespielt? Von welchen Überlegungen hat er sich
   damals leiten lassen? Sah er in Stalins Angebot eine „Chance
   zur Wiedervereinigung"? Welchen Stellenwert nahm die Wiedervereinigung überhaupt in seiner Politik ein? Ist seine
   öffentlich vertretene Formel, die Westintegration sei der kürzeste Weg zur Wiedervereinigung, *die* Lebenslüge der fünfziger Jahre? Inwieweit gilt seine Gleichung „Neutralisierung
   heißt Sowjetisierung"?[7] Ging es um „Freiheit oder Sklaverei",
   wie von ihm behauptet? Inwieweit trifft ihn Verantwortung für
   das „Nichtausloten" der Note, für die fortdauernde Spaltung
   der Nation?
4. Wie groß war der Spielraum auf deutscher Seite? Gab es
   Möglichkeiten, sich am Verhandlungstisch Klarheit über die
   sowjetischen Absichten zu verschaffen, ohne dabei die bis
   dahin betriebene Politik, d. h. Integration der Bundesrepublik
   ins westliche Lager, zu gefährden? Mit anderen Worten: Gab
   es eine Möglichkeit, die Note anders zu behandeln, so daß
   zumindest, wie dies Carlo Schmid in seinen „Erinnerungen"
   formuliert,

   > „manchem heutigen, um die Zukunft Deutschlands besorgten
   > Vaterlandsfreund der nostalgische Rückblick auf das Jahr 1952
   > erspart geblieben [wäre]"?[8]

Blickt man auf die bisherigen Arbeiten über die Stalin-Note,
so verblüfft, mit welcher Entschiedenheit Autoren wie u. a. Hans
Buchheim, Jürgen Weber, Wolfgang Wagner und Gerhard Wettig[9] ohne Kenntnis irgendwelcher Akten die These vertreten, es
sei eine Legende, im Zusammenhang mit der Stalin-Note von
einer verpaßten Gelegenheit zu reden. Für sie war die Sowjetunion im Frühjahr 1952 keineswegs bereit, ihre Deutschlandpolitik zu ändern, sie sei zwar für eine Viermächte-Konferenz gewesen, aber lediglich mit dem Ziel, durch langwierige Verhandlungen Zeit zu gewinnen, um die Schaffung der Europäischen Verteidigungsgemeinschaft und die damit verbundene Wiederaufrüstung der Bundesrepublik zu verzögern und, wenn möglich, zu
verhindern, mit anderen Worten: Die Stalin-Note war danach
lediglich Täuschungs- und Störmanöver der Sowjets. (Zur „Alibithese" von H. Graml s. u. S. 15f.)

Auch wenn dies *ein* Ziel der sowjetischen Aktivität gewesen
sein mag – die Nagelprobe ist ja nicht gemacht worden –, so
konnten doch *jene* Historiker mindestens genauso gute Argu-

mente vorbringen, die die entgegengesetzte Position einnahmen. So hat Boris Meissner[10] schon sehr früh die These vertreten, daß die sowjetische Initiative in stärkerem Maße die Bereitschaft zeigte, nationalen deutschen Interessen Rechnung zu tragen und zu einem geregelten Verhältnis zum Westen zu gelangen, also kein taktisches Manöver, sondern Bestandteil einer Disengagement-Konzeption war, die von Stalin mit Hilfe von Berija und Malenkow entwickelt worden sei, die aber nicht über den notwendigen innenpolitischen Rückhalt verfügte. Als Gründe fügt er an:

1. die sowjetischen Bemühungen in den Jahren 1951/52 zur Schaffung einer neutralen Staatenzone, die Ost und West trennen sollte;
2. die von Stalin in dessen Schrift „Ökonomische Probleme des Sozialismus in der UdSSR" vom Februar 1952 geäußerte Überzeugung vom Wiederaufstieg Deutschlands und Japans und der Unvermeidbarkeit von Konflikten in der kapitalistischen Welt. Die Stärkung dieser beiden Staaten habe demnach im Interesse der Sowjetunion gelegen, da sich dadurch die Möglichkeit einer kriegerischen Auseinandersetzung zwischen Ost und West hätte vermeiden lassen.
3. Aus der Vermeidbarkeit eines Weltkrieges schloß Stalin lange vor Chruschtschow auf die Möglichkeit einer langfristigen Koexistenz. Der Begriff der „friedlichen Koexistenz" wurde erstmals von Berija am 6. November 1951, dann von Stalin am 31. März 1952 gebraucht.
4. Als „entscheidend" wertet Meissner, daß die „vom Herbst 1951 bis Frühjahr 1952 betriebene konstruktivere Deutschlandpolitik von Berija und Malenkow, als sie nach dem Tode Stalins am 5. März 1953 kurze Zeit gemeinsam an der Macht waren, unverzüglich wieder aufgenommen worden ist".

Demnach wäre die Verhärtung der sowjetischen Haltung in der Deutschlandfrage, die in der dritten sowjetischen Note im Mai 1952 festzustellen ist (siehe S. 29 ff. u. 94 ff.), weniger auf die bevorstehende Unterzeichnung des EVG- und Deutschlandvertrages zurückzuführen als vielmehr auf Machtverschiebungen im Kreml; durch die Säuberungen in Georgien und den Wechsel an der Spitze des Staatssicherheitsministeriums im Herbst 1952 wurde die Stellung Berijas erschüttert und die Chruschtschows gestärkt. Ohne auf das oben unter 4. genannte Argument von Meissner einzugehen, kommt Richard Löwenthal[11] zu dem Schluß, daß es die eigentliche Chance zur Lösung der Deutschlandfrage erst in den Monaten zwischen Stalins Tod und dem 17. Juni 1953 gegeben habe, und diese Chance sei in der Tat vertan worden. (Darauf wird unten noch eingegangen, vgl. Kap. 10.)

Klaus Erdmenger und – wenn auch differenzierter – Gerd Meyer[12] sind von der „wenigstens teilweisen" (Meyer) Ernsthaftigkeit des sowjetischen Angebotes überzeugt: Mittel- und langfristig habe es für die Sowjetunion mehr Vor- als Nachteile geboten. Sie sei demnach bereit gewesen, für eine Verhinderung der EVG und für die – im einzelnen noch auszuhandelnde – Neutralisierung Deutschlands einen hohen Preis zu zahlen.

Man muß sich noch einmal klarmachen, in welcher Situation das sowjetische Angebot gemacht wurde: Unter den Auswirkungen des „Koreaschocks" hatten die USA im Herbst 1950 unter Ausübung massiven Drucks auf Großbritannien und vor allem auf Frankreich die grundsätzliche Entscheidung für einen westdeutschen Wehrbeitrag im Rahmen einer wirkungsvollen Verteidigung Westeuropas herbeigeführt. Die Realisierung bereitete dann jedoch enorme Schwierigkeiten, deren Ursachen in erster Linie in Paris zu suchen waren; deutsche Soldaten, ob in der Uniform einer europäischen Armee oder – noch schlimmer – in deutscher Uniform, das war eine Vorstellung, an die man sich in Frankreich nur langsam gewöhnte, zumal im Jahre 1951 eine von Korea ausgehende globale Kriegsgefahr nicht mehr gegeben schien. Auch wenn sich die Verhandlungen um die EVG außerordentlich mühsam gestalteten, Anfang 1952 zeichnete sich doch ihr erfolgreicher Abschluß ab: Die Bundesrepublik würde zwölf Divisionen für das Heer, 85 000 Mann taktische Luftwaffe (1 300 Flugzeuge) und 12 000 Marinestreitkräfte, insgesamt rd. 400 000 Mann stellen – auf dem Papier nur die zweitstärkste Armee in Westeuropa, tatsächlich die stärkste, da die Masse der französischen Armee in Indochina kämpfte. Mit der Aufstellung der deutschen Kontingente als integrierter Bestandteil des westlichen Militärbündnisses sollte so schnell wie möglich, bestenfalls schon Ende 1952, begonnen werden. Diese Truppen hätten sich aus Soldaten mit „Rußlanderfahrung" rekrutiert, aus Soldaten, die vor Leningrad und Moskau gekämpft hatten: Im „Großen Vaterländischen Krieg" hatte die Sowjetunion die deutschen Aggressoren nur unter ungeheuren Opfern – mit Unterstützung der Amerikaner – zurückgeschlagen; nun würde das deutsche Potential auf der Seite der USA stehen. Zu dieser „Bedrohungsvorstellung" kamen die atomare Überlegenheit der USA und die Entscheidung des NATO-Ministerrates auf seiner Tagung vom 20. bis 25. Februar 1952 in Lissabon hinzu, die Türkei und Griechenland in die NATO aufzunehmen, ein Nahostkommando der NATO zu bilden und bis Ende 1954 in Westeuropa 100 Divisionen – davon die Hälfte Präsenzstärke – auf die Beine zu stellen. Dies alles galt es aus der Sicht des Kreml zu verhindern. Den Preis dafür bot Stalin am 10. März an. Nicht ohne Hintersinn wird er gerade dieses Datum für die Überreichung der Note gewählt haben: Genau dreizehn Jahre zuvor, am 10. März 1939, hatte er mit seiner Rede vor dem XVIII. Parteitag der KPdSU die bis dahin für völlig unrealistisch angesehene Wende in den deutsch-sowjetischen Beziehungen eingeleitet.

Und noch ein Punkt muß wohl bedacht werden: Stalin hatte zwar die Gründung der DDR als „Wendepunkt in der Geschichte Europas" bezeichnet, diese DDR hatte sich aber eher zu einer Hypothek für den Kreml entwickelt. Die DDR-Führung sah sich enormen innenpolitischen Schwierigkeiten gegenüber; für das Ziel, die DDR zum Bollwerk des Sozialismus auszubauen, waren die Produktions- und Arbeitskräfte so sehr überbeansprucht worden, daß die wirtschaftliche und soziale Misere für den Bestand des Regimes gefährlich wurde. Ohne Rücksicht auf die Schwierigkeiten eines rohstoffarmen, durch Krieg und Demontagen geschwächten Landes sollte eine bedeutende Schwerindustrie aus dem Boden gestampft werden. Hierfür ein Beispiel: Auf dem Gebiet der DDR waren 1936 1,2 Mio. Tonnen, 1946 nur noch 97 000 Tonnen Rohstahl produziert worden; das Planziel für 1955 lautete 3,4 Mio. Tonnen. Dies ging nur auf Kosten der Konsumgüterindustrie. Das Ergebnis war eine weitere Verschlechterung des Lebensstandards. Hinzu kam, daß Tausende von Bauern die Flucht in den Westen der Zwangskollektivierung in „Landwirtschaftlichen Produktionsgenossenschaften" vorzogen (1951: 4 343; 1952: 14 141; 1953: 37 396, jeweils ohne Familienangehörige); 1952 waren 13 Prozent der Anbauflächen „herrenlos". Auch bei anderen Berufsgruppen führte die „Verschärfung des Klassenkampfes" zu einem Ansteigen der Fluchtbewegung: Registriert wurden im 1. Halbjahr 1952 insgesamt 72 226 (im 2. Halbjahr 110 167 und von Januar bis Mai 1953 allein 184 793 Flüchtlinge).

„In einer solchen Situation", so Wilfried Loth, „mochte eine Preisgabe der SED-Herrschaft in der DDR als eine angemessene

Gegenleistung erscheinen, wenn man damit das Übergewicht des Westens im Kalten Krieg verhinderte."[13] Er liegt damit auf der Linie von Boris Meissner und Andreas Hillgruber, der in einer stringenten Analyse über „Adenauer und die Stalin-Note" feststellt, daß heute „kaum mehr bestritten werden kann, daß die Note einem ernsthaften Interesse Stalins an einer Neutralisierung Deutschlands entsprach". Stalin sei wie in der Zwischenkriegszeit davon ausgegangen, daß Spannungen zwischen den „imperialistischen" Mächten bestünden (dies wohl unter Hinweis auf die oben genannte Schrift Stalins), die es im Interesse der Sowjetunion zu fördern galt. (So auch Löwenthal, der Stalins Außenpolitik in dessen letzten Lebensjahren primär auf das Aufreißen von Konflikten zwischen seinen Gegnern gerichtet sieht.) Die Wiederermöglichung eines „Eigenweges" für Deutschland nahm in diesem Rahmen eine zentrale Stellung ein. Auch Hillgruber ist der Meinung, daß Stalin bereit war, um einen sehr hohen Preis, „auch um den der Aufgabe von DDR und SED", die als besonders bedrohlich betrachtete Integration des deutschen Militärpotentials in den Westblock zu verhindern:

> „Aus Stalins Sicht war ein von den Westmächten einschließlich der USA mit garantierter Status eines neutralisierten, aber nolens volens bürgerlich strukturierten Gesamtdeutschland eher akzeptabel als die Integrationslösung, die die Westverträge vorsahen."[14]

So verdienstvoll die meisten der bisherigen Arbeiten über die Stalin-Note auch sind, neue Tatsachen oder grundlegend neue Erkenntnisse von größerer Tragweite sind eigentlich schon seit 1952 weder von den Zeitzeugen noch von den Historikern zutage gefördert worden. Sämtliche Untersuchungen haben darunter gelitten, daß die Akten der beteiligten Regierungen nicht zugänglich waren. Um so bedeutender ist die Tatsache zu werten, daß Hermann Graml vom Institut für Zeitgeschichte in München als erster deutscher Historiker einen Teil der amerikanischen Akten auswerten konnte. Graml hatte sich bereits 1977 in einem längeren Aufsatz gegen die These gewandt, daß die Note ein konstruktives Angebot gewesen sei[15]; sein Fazit auch nach Durchsicht der amerikanischen Akten lautet: Die Stalin-Note bleibt die „Legende von der verpaßten Gelegenheit". Ausgehend von der Feststellung, die Noten entstammten der Erkenntnis Stalins, daß die Westintegration der Bundesrepublik und der Aufbau der EVG unvermeidbar geworden seien, faßt er seine wichtigsten Schlußfolgerungen folgendermaßen zusammen:

1. Die Sowjetunion habe zu keinem Zeitpunkt im Jahre 1952 die Wiedervereinigung zu akzeptablen Bedingungen, nämlich der Opferung der SED-Herrschaft in freien gesamtdeutschen Wahlen, angeboten. Vielmehr habe die Sowjetunion die Initiative im Propagandakrieg zurückgewinnen und „hinter dem Schirm einer Schuldzuweisung an den Westen" die Stabilisierung der DDR als Glied des Sowjetblocks erleichtern und außerdem den westlichen Gegnern der westeuropäischen Integrationspolitik den Rücken stärken wollen.
2. Der Einfluß der Bundesregierung und des Bundeskanzlers auf die Notenpolitik der Westmächte sei minimal gewesen, auch wenn im Laufe des Notenwechsels die Position der Bundesrepublik eine unverkennbare Aufwertung erfahren habe. Aus diesen Gründen sei
3. die Behauptung nicht haltbar, „im Jahre 1952 sei vor allem auch auf Grund der Haltung des Bundeskanzlers eine Chance zur Wiedervereinigung vertan worden".[16]

Auf der oben genannten Rhöndorfer Veranstaltung hat H. Graml diese Forschungsergebnisse erstmals vorgestellt. Wie tief die Zweifel an Adenauers Abwehr jedes Eingehens auf die Sowjetnote sich seinerzeit auch in CDU-Gemüter gebohrt hatten, war der Genugtuung abzulesen, die Gramls Beweisführung auslöste. Voran Eugen Gerstenmaier: Eher hundert- als fünfzigmal habe er an den Universitäten auf die Frage antworten müssen: „Warum habt ihr diese Gelegenheit verpaßt?" Aus einer „nahezu verwundeten Seele" sei sie ihm immer wieder auf den Nationalsynoden der Evangelischen Kirche in Deutschland gestellt worden:

> „Viele Jahre bin ich mit mir selber uneins gewesen, ob wir uns richtig verhalten haben, insbesondere im Blick auf die erste Stalin-Note, nicht auf die weiteren."

Gramls Darlegungen hätten ihn von diesen „zwiespältigen Gefühlen" befreit. Mit Dank dafür an Graml und Emphase in der Stimme rief er dies mit beschwörend erhobener Hand, als wolle er eine Versuchung abwehren, zu seinem Parteifreund Johann B. Gradl hinüber. Denn Gradl hatte die Diskussion auf den Kern zurückgeführt und gegen Graml eingewendet: Er und seine Freunde hätten nie von verpaßter Chance gesprochen, das sei nicht das Problem, sondern ob die Probe darauf gemacht worden sei, und „diese Probe ist eben nicht mit letztem Ernst gemacht worden".

Stephan G. Thomas, enger Vertrauter von Kurt Schumacher und früherer Chef des Ost-Büros der SPD, griff die oben skizzierten Überlegungen von Meissner und Hillgruber – der auf dieser Veranstaltung noch einmal betonte, daß es seiner Meinung nach den Sowjets nicht um die bloße Verhinderung der EVG ging, sondern daß sie etwas „ganz Bestimmtes anderes" wollten – auf und lenkte den Blick fort von den westdeutsch-alliierten Querelen erneut auf den Kreml. Seine These: Die Note war ein „legitimes Element der sowjetischen Interessenpolitik [...], ein genuines Anliegen der sowjetischen Diplomatie und Machtstrategie in diesem strategischen Schnittpunkt des Frühjahrs 1952".[17] Zur Stützung dieser These zitierte er aus einer Rede des SED-Chefs Walter Ulbricht vor der Bezirksdelegiertenkonferenz der SED in Leipzig am 28. Mai 1960:

> „Ich sage ganz offen, unser Vorschlag von 1952 war auch für die DDR, für die Werktätigen mit einem Risiko verbunden. Damals war die DDR noch nicht so gefestigt, und es waren noch nicht in der ganzen Bevölkerung die Fragen der Sicherung des Friedens und der Wiedervereinigung und des Charakters der westdeutschen Herrschaft so klar wie jetzt. Aber wir waren bereit, auf offenem Felde den Kampf zu führen. Das wäre ein langer Weg des Kampfes in Deutschland geworden."[18]

Die Interpretation von Thomas:

> „Die sowjetischen Machtinteressen waren dominierend vor den partikulären Interessen der SED; Ulbricht wäre von Stalin in das Wasser der gesamtdeutschen Auseinandersetzung hineingeworfen worden. Das war die Sorge, die Ulbricht hier viele Jahre später bestätigt."[19]

Thomas bot ein zweites Dokument an, ein Interview mit dem Führer der italienischen Sozialisten, Pietro Nenni, in der „New York Times" vom 26. März 1963, wonach Wilhelm Pieck und Otto Grotewohl diesem gegenüber erklärt hatten:

> „Damals, 1952, wollte uns Stalin in eine neue Situation stellen, und wir wissen nicht, wie wir da herausgekommen wären!"[20]

Gerd Bucerius, 1952 für die CDU im Bundestag, wies auf das höchst begrenzte Feld hin, auf dem sich die deutsche Politik seiner Meinung nach damals zu entscheiden hatte:

> „Auf der einen Seite einen unterschriftsreifen Vertrag [EVG- und Deutschlandvertrag], und auf der anderen Seite – eine [...] ganz kleine Hoffnung [...] Das Schlimme war ja, daß uns in dem

Augenblick, wo wir uns auf die Verhandlungen einließen, der Westen davongelaufen wäre, und wir nun deshalb auf die Gnade der Sowjets angewiesen gewesen wären [...] Innerhalb weniger Tage mußten wir sagen: Mit euch oder mit euch. Wir haben uns für den Westen entschieden."[21]

Wilhelm Grewe nahm am 30. Jahrestag der Stalin-Note in der FAZ am 10. März 1982 noch einmal zum „zählebigen Mythos" der Note und zum „Irrtum über die verpaßte Gelegenheit zu einer deutschen Wiedervereinigung" Stellung.

Er griff dabei insbesondere den von Gradl auf der Rhöndorfer Tagung mit Vehemenz vorgetragenen Vorwurf auf, daß man ohne ernsthaften Versuch des „Auslotens" über die Sowjetinitiative hinweggegangen sei. Seine These: Adenauer hat nicht anders handeln können. Die Vorstellung, die Bonner Regierung hätte damals, ohne die Westverträge zum Scheitern zu bringen, zunächst in Moskau diplomatisch sondieren oder eine Viererkonferenz fordern können, bezeichnet er als „völlig wirklichkeitsfremd". Welche Möglichkeiten gab es seiner Meinung nach? Die selbst gestellte Frage: „Emissäre nach Moskau [zu] schicken" oder sich „insgeheim mit dem sowjetischen Botschafter in der Hauptstadt eines dritten Landes zu treffen, ohne den Westen zu unterrichten?" weist er als „abenteuerliche Vorstellungen" zurück. Dies klingt wie ein schwerwiegendes Argument, denn dieser Weg wäre in der Tat abenteuerlich gewesen; nur verschweigt Grewe, daß es darum überhaupt nicht ging, die Frage mithin ganz falsch gestellt ist. Es gab nämlich andere Möglichkeiten, auf die noch ausführlich eingegangen wird. (Siehe S. 60 f. u. 86 f.). Auch den „formell korrekten Weg", die westlichen Besatzungsmächte zu bitten, „durch ihre Botschafter in Moskau zu sondieren", weist er zurück: „Eine Antwort erübrigt sich"[22]. Bleibt die dritte Möglichkeit, ob die Bundesregierung bei den Westmächten auf Einberufung einer Viermächte-Konferenz hätte drängen sollen? In dem Gespräch in Rhöndorf wies Eugen Gerstenmaier darauf hin, daß dies „im Rahmen unserer Möglichkeiten gelegen [hätte]". Ein entsprechender Vorstoß von ihm bei Adenauer sei von diesem folgendermaßen beantwortet worden:

„Wenn wir das tun, wenn wir darauf drängen, wissen Sie, was das Ergebnis ist? Das Ergebnis ist, daß wir zum Schluß zwischen zwei Stühlen sitzen; im Osten wird sich überhaupt nichts ändern, auch nach langen, langen Verhandlungen wird sich zeigen, daß es nur eine Finte war; und beim Westen wird der Effekt der sein, daß es heißt, die Deutschen sind doch unzuverlässige Kantonisten; kurz: Wir sitzen zwischen zwei Stühlen!"[23]

Dies war und ist auch Grewes Meinung. „Die Aussichten auf greifbare Ergebnisse wären minimal, das Risiko, sich zwischen alle Stühle zu setzen, wäre maximal gewesen"[24]. Daß dies so einfach wohl nicht gewesen ist, wird im folgenden gezeigt werden. Den Kern der Sache trifft Grewe, wenn er die Frage stellt, was eigentlich Adenauer, der ein neutralisiertes Deutschland – in welcher Form auch immer – für verhängnisvoll hielt (dazu Kap. 2), hätte veranlassen sollen, die bevorstehende Aufnahme der Bundesrepublik in den Westen aufs Spiel zu setzen? Aus seiner Sicht – und darauf hat Grewe bei den Aschaffenburger Gesprächen 1984 noch einmal mit Nachdruck hingewiesen – gab es keine Alternative zur Westintegration und vor Unterzeichnung und Ratifizierung der Westverträge auch überhaupt nichts zu verhandeln, mithin auch überhaupt keine Veranlassung, die Note „auszuloten".

Nunmehr liegen weitere amerikanische und erstmals auch britische Akten vor, die weiteres Licht in das Dunkel dieser Note bringen. Um dies vorweg zu sagen: Sie bestätigen keinesfalls jene Vertreter der „Legendenschule", mithin auch nicht die o. g. Thesen von Graml. Auch wenn sie nicht den letzten, schlüssigen Beweis für die „Ernsthaftigkeit" des sowjetischen Angebotes erbringen, geben sie doch Antwort auf eine ganze Reihe der oben gestellten Fragen, vor allen Dingen zeigen sie, von welchen Überlegungen sich die Westmächte bei der Behandlung der Note haben leiten lassen, welche Rolle Adenauer dabei gespielt hat und wie groß der Spielraum auf deutscher Seite war: was möglich gewesen wäre.

In den britischen Akten gibt es zumindest einen Hinweis auf die Absichten Stalins. Es handelt sich um ein Gespräch des russischen Diktators, das dieser am 26. Juli 1952 mit Pietro Nenni, dem Führer der italienischen Linkssozialisten und damals Befürworter einer engen Zusammenarbeit mit den Kommunisten, anläßlich der Überreichung des Friedenspreises an ihn im Kreml führte. Unmittelbar danach sprach Nenni mit dem italienischen Botschafter in Moskau, Baron Mario di Stefano, über seine Unterhaltung mit Stalin; di Stefano gab seine Informationen dann an den kanadischen Botschafter weiter. Was er berichtete, gelangte schließlich in einem geheimen Telegramm über den Umweg Ottawa an das Foreign Office, wo es bezeichnenderweise dreißig Jahre unter Verschluß lag. Demnach hatte Stalin erklärt, das Politbüro sei bei der ersten Note „wirklich bereit gewesen, Opfer zu bringen, um die Wiedervereinigung zu erreichen". Man hätte die ostdeutschen Kommunisten geopfert für ein Deutschland, dessen Regierung zwar dem Westen freundlich gesonnen wäre, in dem es aber eine starke linke Opposition wie in Italien gegeben hätte. Stalin glaubte demnach, daß ein schwaches Deutschland, mit starken politischen Kräften sowohl nach Westen als auch zur Sowjetunion hin ausgerichtet, zu einem politischen Gleichgewicht geführt hätte, das ausgereicht hätte, um jede Kriegsgefahr zu beseitigen. Mit der Unterzeichnung von EVG- und Deutschlandvertrag, der Ratifizierung durch den US-Senat und der Nominierung Eisenhowers zum Präsidentschaftskandidaten, von dem er annahm, daß er der nächste Präsident werde, sei eine Wiedervereinigung nach Meinung des Politbüros unmöglich geworden. Er, Stalin, beabsichtige daher, zur Schaffung eines militärischen Gleichgewichts zwischen West und Ost den NATO-Streitkräften in Westdeutschland eine gleich starke ostdeutsche Armee entgegenzustellen. Er gehe nunmehr davon aus, daß die Teilung Deutschlands noch etliche Zeit andauern werde; einen Krieg werde es so lange nicht geben, als ein starkes Ostdeutschland unter sowjetischer Kontrolle Rußlands Westflanke schütze. Stalin sei zu der Überzeugung gekommen, daß Deutschland nicht mehr der größte Gefahrenherd sei, sondern nur noch ein Gebiet wie jedes andere auch, wo man einen langen Atem haben müsse und der Austausch von Noten bedeutungslos geworden sei.[25]

An anderer Stelle habe ich daraus den Schluß gezogen, daß dieses Telegramm jenen recht gibt, die die Note nicht als Täuschungs- und Störmanöver abgetan haben, und dabei insbesondere auf Meissner und Hillgruber verwiesen.[26] Diese Interpretation ist von verschiedener Seite unter Hinweis auf Nennis Memoiren zurückgewiesen worden. Gerd Bucerius stellte in der ZEIT kategorisch fest:

> „Kein Wort über die Stalin-Note. Für Nennis Leser wäre das aber die wichtigste Information gewesen."[27]

In der Tat wird die Note nicht von Nenni in seinen Tagebüchern erwähnt (allerdings auch nicht Stalins Hinweis auf Eisenhower).[28] Er hat sogar Äußerungen, die in die Richtung des o. g. Gespräches wiesen, am 10. August 1952 in seinem Parteiorgan „Avanti" dementiert. Über die Gründe kann man nur spekulieren, da er andererseits wenige Wochen später dem britischen Journalisten und Abgeordneten der oppositionellen Labour-Party, Richard Crossman, in einem dreistündigen Interview Auskunft über sein Gespräch mit Stalin gab; eine Zusammenfassung veröffentlichte Crossman am 20. September 1952 in der sozialistischen Wochenzeitschrift „New Statesman and Nation"[29]. Der FAZ, deren Mitherausgeber noch Paul Sethe hieß, war dies wichtig genug, um in einem Leitartikel „Was hat Stalin gesagt?", am 24. September 1952 dazu Stellung zu nehmen.

> „Da wir nicht wissen können", so hieß es da, „ob Nenni die Gedanken Stalins richtig wiedergegeben hat, da wir noch weniger wissen können, welche Zwecke Stalin bei seinem Gespräch mit dem italienischen Sozialisten verfolgt hat, geben wir mit allem Vorbehalt die wesentlichen Mitteilungen Crossmans [...] wieder", was dann auch korrekt geschieht.

Nach diesem Bericht habe Nenni den festen Eindruck gewonnen, daß die erste russische Note ein ernstes Angebot gewesen sei, daß Stalin aber die Hoffnung auf eine erfolgreiche Viermächtekonferenz, auf der Deutschland durch ein Übereinkommen geeint werde, abgeschrieben habe und die Fortdauer der Teilung Deutschlands mit Gleichmut betrachte. Darüber hinaus habe Stalin ihm versichert, daß er alles tun werde, um Provokationen zu vermeiden. Der Kreml stehe dem Gedanken, den atlantischen Block spalten und vor allem zwischen Amerika und Großbritannien einen Keil treiben zu können, äußerst skeptisch gegenüber. Andererseits denke Stalin nicht daran, irgendeine der Früchte, die ihm 1945 in Osteuropa zugefallen seien, zur Beschwichtigung der Amerikaner preiszugeben. Nenni habe seinen Gesamteindruck zusammengefaßt in dem Gedanken, daß weder eine Katastrophe noch eine Friedensregelung bevorstehe. Wir müßten uns daran gewöhnen, daß das Zwielicht zwischen Frieden und Krieg unbegrenzt weiter anhalte.

Wer dies alles als reine Spekulation und „Überinterpretation" abtut, macht sich die Sache zu einfach. Bucerius weist auf mögliche Übermittlungsfehler bei dem o. g. Telegramm hin und fährt dann fort:

> „Aber unterstellen wir einmal, Stalin hätte wirklich mit Nenni über die Note gesprochen: Hätte er dann wohl sagen können, es sei ihm mit der Note nicht ernst gewesen; er habe nur die Verhandlungen über den ‚Deutschlandvertrag' stören wollen? Um dann gleich hinzuzufügen, daß ihm dieses Manöver nicht geglückt sei?"[30]

Genauso argumentierte auch Wilhelm Grewe bei den Aschaffenburger Gesprächen 1984. Welche Antwort gibt es darauf? Bemerkenswert ist doch wohl, daß Stalin sich ausdrücklich auf die erste Note bezieht und dann deutlich sagt, mit Abschluß der Westverträge sei eine Wiedervereinigung unmöglich geworden. Das haben damals im Westen viele so gesehen, einige befürchtet. Viel geschickter im Sinne des Täuschungs- und Störmanövers wäre es da doch wohl aus Stalins Sicht gewesen, auf fortgesetzte sowjetische Bereitschaft zur Wiedervereinigung zu verweisen, statt zu sagen, der weitere Notenwechsel habe keine Bedeutung mehr gehabt.[31]

Ich halte dieses Telegramm nach wie vor für ein Indiz, das *mit* Aufschluß über Stalins Intentionen gibt. Es ist in der Tat kein Protokoll einer Politbürositzung des Kreml, dennoch überzeugt mich Walter Laqueur[32] nicht, wenn er schlicht feststellt, das Interview Stalin–Nenni beweise „nichts", Stalin habe weder seine engsten Mitarbeiter ins Vertrauen gezogen noch ausländische Kommunisten, geschweige denn Ausländer, die nicht einmal Kommunisten waren. Warum sollte der italienische Botschafter di Stefano etwas Falsches erzählen? Ich kann keine Taktik auf seiner Seite erkennen, zumal es von ihm nichts zu beeinflussen gab. Wenn Laqueur betont, die Geschichte der deutsch-sowjetischen Beziehungen habe nicht mit der dritten sowjetischen Note im Mai 1952 geendet, so ist ihm entgegenzuhalten, daß sich bis Stalins Tod in der deutschen Frage jedenfalls nichts mehr bewegt hat. Und wenn er betont, die Sowjets hätten in den folgenden Jahren zahllose Gelegenheiten gehabt, um ihre Konzessionsbereitschaft unter Beweis zu stellen, so bleibt festzustellen, daß es auch in den folgenden Jahren um das gleiche Problem wie 1952 ging: Der Westen rückte kein Jota von seiner Position ab und verlangte praktisch die Kapitulation der Sowjets. Und wenn Laqueur bedauert, daß der Westen Stalins Angebot nicht ausgelotet habe, und sei es auch nur, um in der späteren Geschichtsschreibung keinen Mythos der verpaßten Chance entstehen zu lassen, keinesfalls aber in der Erwartung, einen „sensationellen Durchbruch" zu erzielen, dann hätte er doch zumindest auf die Motive für dieses Verhalten eingehen müssen. Er hat dies nicht getan; hätte er es getan, hätte er nämlich auf die Diskrepanz zwischen den öffentlichen Verlautbarungen bzw. der von den Westmächten im „Deutschlandvertrag" unterschriebenen Verpflichtung zur Wiedervereinigung und dem, was intern darüber gedacht wurde, hinweisen müssen (siehe S. 73).

Und wenn Hermann Graml zur Beweisführung seiner „Alibitheorie" u. a. einen in London tätigen sowjetischen Diplomaten anführt, dem Anfang Mai gegenüber einem Schweizer Kollegen die Bemerkung „entschlüpfte", in Moskau rechne man nicht mit einer Annahme der sowjetischen Vorschläge; die Notenkampagne sei ja nur zur Stabilisierung der DDR inszeniert worden[33], so ist dem der Bericht des stellv. französischen Botschafters in Washington, Daridan, vom 28. Juni entgegenzuhalten. Gegenüber zwei Mitarbeitern der französischen Botschaft hatte sich Vladykin, zweiter Rat der sowjetischen Botschaft, über verschiedene politische Probleme geäußert. In dem Bericht an den Quai d'Orsay heißt es darüber:

> „Was zuallererst die deutsche Frage betrifft, hat Herr Vladykin erklärt, er sei überrascht, daß die Alliierten sich so besorgt gezeigt hätten, rigorose Vorsichtsmaßnahmen vor der Abhaltung allgemeiner Wahlen in Deutschland zu treffen. Die Westzone, sagte er, mache mehr als ⅔ der deutschen Bevölkerung aus. Die Ostzone sei weit davon entfernt, einheitlich kommunistisch zu sein. Im Falle allgemeiner Wahlen würden die Kommunisten in der Nationalversammlung nur eine kleine Minderheit repräsentieren. Eine aus solchen Wahlen hervorgegangene Regierung sei notwendigerweise zum Westen hin orientiert. Selbst wenn man annimmt, daß die Bedingungen im östlichen Deutschland nicht dem entsprechen, was sie wünschen könnten, liefen sie überhaupt keine Gefahr.
> Als einer meiner Mitarbeiter ihn fragte, warum Rußland eine für sich so unvorteilhafte Lösung vorschlage, erwiderte Herr Vladykin, daß gerade dieses beträchtliche Zugeständnis den Beweis der Ehrlichkeit der russischen Angebote liefere. Moskau sei bereit zu akzeptieren, daß Deutschland von einer nichtkommunistischen, ja sogar antikommunistischen Regierung geführt werde, um im Gegenzug zwei Ziele zu erreichen: das erste sei das Ende der Teilung Deutschlands, eine Teilung, die in sich selbst die Gefahr eines Weltkrieges trage; das zweite sei die Neutralisierung Deutschlands.
> Meine Mitarbeiter haben daraufhin ihm gegenüber die Bemerkung gemacht, daß es nicht genüge, zu entscheiden, daß Deutschland neutral werde, damit es auch neutral bleibe. Es sei sicherlich möglich, zu diesem Zweck Garantien in die Texte aufzunehmen und im besonderen die Nationalarmee, über die es verfüge, zu beschränken, aber Lösungen dieser Art seien immer fragil, wie die Erfahrung mit dem Versailler Vertrag gezeigt habe. Der sowjeti-

sche Diplomat beschränkte sich, ohne sich über die Wirksamkeit eines Deutschland aufgezwungenen Neutralitätsstatus zu äußern, auf die Antwort, daß es für die sowjetische Regierung schon viel bedeute, daß Deutschland nicht autorisiert sei, sich irgendeinem Bündnis anzuschließen. Deutschland sei, selbst vereint, nicht mehr in der Lage, einen Krieg alleine zu führen. Es könne eine Aggression nur unterstützt von einer der zwei großen Mächte durchführen. Andererseits könne eine große außereuropäische Macht wie die USA nur schwer gegen Rußland in Europa einen Feldzug führen ohne Deutschland. Der Fleiß, mit dem sich die Regierung der Vereinigten Staaten bemühe, Deutschland auf seine Seite zu bringen und es wiederzubewaffnen, erscheine ihnen als eines der beunruhigendsten Zeichen der Absichten der USA.

Über diese Ausführungen kam Herr Vladykin auf die Befürchtungen zu sprechen, die die amerikanische Politik in Moskau hervorrufe. Er hat in diesem Zusammenhang auf die vor kurzem von Herrn Foster Dulles entwickelten Programme zur Außenpolitik hingewiesen, die seitens der USA eine aktivere Politik als die des ‚Containment‘ befürworten. Er hat die Erklärungen herausgestellt, in denen Herr Acheson in seiner Antwort auf Herrn Dulles den dynamischen Charakter seiner Diplomatie unterstrichen hat. Er hat auf verschiedene Meinungstendenzen angespielt, die man unter dem Ausdruck einer ‚Politik des Zurückdrängens‘ zusammenfassen könnte. Er hat geschlossen, daß es ihm so scheine, als liege letztendlich das letzte Ziel der Außenpolitik der USA darin, auf die eine oder andere Weise einen Wechsel des Regimes in der UdSSR herbeizuführen.

Meine Mitarbeiter haben Herrn Vladykin unterbreitet, daß man bei Erklärungen amerikanischer Politiker den Einfluß der Innenpolitik berücksichtigen müsse, vor allem in einem Präsidentschaftswahljahr, daß in den Vereinigten Staaten ein weit verbreiteter Widerwille gegen jede Vorstellung einer Aggression bestehe, daß auch in kommunistischen Regimen in den Ländern hinter dem Eisernen Vorhang oder sogar in Rußland selbst autorisierte Stimmen existierten, die ihre Sympathien für die Opposition ausdrückten und wo die offene Feindschaft gegen die kommunistischen Regime nicht notwendigerweise die Absicht, auf Gewalt zurückzugreifen, beinhalte. Was die amerikanischen Sorgen betrifft, die Teilnahme Deutschlands an der westlichen Verteidigung zu erreichen, so erklärten sich diese nicht durch aggressive Absichten der USA, sondern durch den Wunsch, aus Europa ein Gebiet zu machen, das fähig sei, seine eigene Verteidigung selbst zu sichern und auf lange Sicht die Belastung zu verringern, die die Stationierung amerikanischer Truppen in Übersee darstelle. Herr Vladykin, der sich während der ganzen Unterhaltung gemäßigt und objektiv gezeigt hat (obwohl die Gelegenheit dafür mehrfach vorhanden war, hat er nie behauptet, daß die Südkoreaner für den Angriff im letzten Juni verantwortlich seien, ebensowenig, daß Amerika die bakteriologische Waffe eingesetzt habe, und auch nicht, daß das ostdeutsche Regime vollkommen demokratisch sei), anerkennt, daß es keine Beweise der aggressiven Absichten der USA gebe, aber er könne nicht umhin zu glauben, daß die Haltung der USA die Befürchtungen seiner Regierung rechtfertige."[34]

Man kann auch dies natürlich als reine Propaganda abtun, macht sich dann aber die Sache doch wohl zu einfach.

Gerd Bucerius sieht auch noch 1984 in der Note keine Chance und verweist als Zeugen auf den früheren österreichischen Bundeskanzler Bruno Kreisky, der 1954 Außenminister Molotow gefragt hatte, ob nicht für Deutschland eine ähnliche Lösung wie für Österreich möglich sei. Molotow habe, erzählte Kreisky Bucerius, eben das abgelehnt, was Stalin 1952 vorgeschlagen hatte. Molotow, laut Kreisky:

> „Die Deutschen waren zweimal mit Waffengewalt in unserem Lande. Die Neutralität Österreichs läßt sich mit einem Papier sichern. Die Neutralität Deutschlands nicht."[35]

Dies ist das bekannte Argument, das gegen den Vergleich Deutschland–Österreich spricht und sicherlich schwer wiegt. Aber – einmal ganz unabhängig von der Frage, inwieweit Bruno Kreisky hier die letzte Autorität in Sachen sowjetischer Deutschlandpolitik ist –: die Situation 1954 entsprach nicht mehr im entferntesten jenem strategischen Schnittpunkt, ja, jener einzigartigen Konstellation des Frühjahrs 1952, was ja wohl von jenen übersehen wird, die darauf verweisen, mit der Unterzeichnung der Westverträge sei gar nichts verloren gewesen; hätten es die Sowjets ernst gemeint, hätten sie dies auf der Außenminister-Konferenz im Januar/Februar 1954 ja beweisen können[36] (und die dabei gleichzeitig verschweigen, daß sich die Position des Westens keinen Millimeter geändert hatte).

1954 hatte sich für die Sowjetunion die Lage allerdings grundlegend geändert: Von der Realisierung des Lissaboner NATO-Beschlusses (100 Divisionen) war der Westen weiter denn je entfernt, von den befürchteten deutschen Soldaten war weit und breit nichts zu sehen, an eine Ratifizierung des EVG-Vertrages glaubten nur noch Illusionisten – im Kreml bestimmt niemand mehr –, im strategischen Bereich (Langstreckenbomber) hatte die Sowjetunion gleichgezogen (nach Schätzungen des CIA), und die

Sowjetunion besaß seit Herbst 1953 auch die Wasserstoffbombe. Und vor allem: Chancen einer für die Sowjets akzeptablen Verhandlungslösung der deutschen Frage hatten sich auch 1953 als gering erwiesen. Die ersten Schritte hatten eine potentiell das ganze osteuropäische Imperium der Sowjets gefährdende Krise ausgelöst, d. h. mit dem 17. Juni 1953 stand die DDR offensichtlich nicht mehr zur Disposition; im Gegenteil, das Ulbricht-Regime mußte gestärkt werden. Bucerius hat wegen seiner Entscheidung, im Frühjahr 1952 in der Fraktion seiner Partei nicht doch stärker auf Verhandlungen gedrängt zu haben, bis heute – wie manch anderer auch – Zweifel an der Richtigkeit seines Verhaltens. Er hat 1972 einen weiteren Versuch der Aufklärung gemacht und am 12. Oktober 1972 George F. Kennan, 1952 US-Botschafter in Moskau, die Frage gestellt, ob die Sorge der CDU/CSU-Fraktion („Zwischen alle Stühle zu geraten") berechtigt gewesen sei, „oder hätten *Sie* uns damals den Rat gegeben, zuerst das Ergebnis der Verhandlungen mit der Sowjetunion abzuwarten und dann zu ratifizieren?" (gemeint ist wohl: unterschreiben). Kennan gab am 2. Dezember 1972 eine kurze, aber bezeichnende Antwort:

> „Die Frage, die Sie anschneiden, ist nicht erst 1952 akut geworden; dies war eine Grundsatzfrage. 1949 gab es sie beim Deutschlandvertrag, 1957 bei der Entscheidung der NATO, die Verteidigungsstrategie auf taktische atomare Waffen umzustellen; vor allem aber 1954/55 bei der Entscheidung zur Wiederbewaffnung und Aufnahme der Bundesrepublik in die NATO.
>
> Was Dr. Adenauer niemals zu verstehen schien, war die Tatsache, daß – während jedem dieser Schritte Priorität vor Verhandlungen mit der Sowjetunion gegeben wurde mit der Begründung, damit werde die deutsche Verhandlungsposition gestärkt – in Wirklichkeit immer mehr präjudiziert wurde. Mit anderen Worten: mit jedem Schritt gab es weniger zu verhandeln, verlor der mögliche Verhandlungsgegenstand an Wert. Es war müßig anzunehmen, ein Deutschland, das Mitglied der EVG oder der NATO geworden war, würde sich noch in einer so unabhängigen Position befinden, um mit den Russen jene Fragen diskutieren zu können, die sie am meisten interessierten: nämlich die Wiederaufrüstung und die Bündniszugehörigkeit Deutschlands. Jeder dieser Schritte war ein fait accompli, nach dem es für die Russen weniger zu verhandeln gab. Um herauszufinden, ob es die Sowjetunion wirklich ernst meinte, hätte man diese Fragen offenhalten und mit dem Kreml reden müssen. Ein Beitritt zur EVG oder NATO hieß ganz einfach, diese Fragen ohne Verhandlungen zu beantworten, wobei

es nicht möglich sein würde – und es ist ja auch nicht mehr möglich gewesen – herauszufinden, was die Russen für eine annehmbare Lösung gezahlt hätten."

Am 6. Dezember 1972 hakte Bucerius nach und wiederholte seine Frage[37]. „Aber von Kennan kein Rat", schreibt Bucerius am 20. April 1984 in der ZEIT und zitiert dessen Antwort, von Gräfin Dönhoff übermittelt:

> „Allesamt,", hatte ihr Kennan zur Weitergabe an Bucerius gesagt, „auch die USA, wollten Deutschland in die NATO eingliedern (England und Frankreich hatten mehr Angst vor Deutschland als vor Stalin). Mit anderen Worten: die Politik war zu festgelegt und die Koalition als solche ganz und gar unelastisch; es hätte zu lange gedauert, die drei Regierungen (und schließlich auch die drei Hochkommissare) zu einem neuen Agreement zu bringen.
>
> George Kennan ist der Meinung, daß die Russen für den Nicht-Beitritt Deutschlands zur NATO sicherlich einen Preis gezahlt hätten, und darum wäre er dafür gewesen, herauszufinden, wie hoch dieser sein würde. Aber um dies zu ermitteln, war, wie gesagt, die Koalition zu ungefüge und schwerfällig."[38]

Zwei Sätze aus dieser Antwort fehlen allerdings in der ZEIT; Kennan hatte nämlich auch gesagt:

> „Die Amerikaner haben von den Russen immer nur dann etwas erreicht, wenn vorher in Geheimverhandlungen Verständigung erreicht worden ist."
> „England und Frankreich hatten nichts gegen die Teilung Deutschlands, auch nichts gegen die Teilung Europas, denn sie haben seit dem Zerfall des Habsburgerreiches nie eine Politik für Osteuropa entwickelt."

Wenn es schon 1972/73 keinen Rat Kennans für Bucerius gab: Was er 1952 als Botschafter in Moskau von dem ganzen Notenwechsel hielt, wird nirgends so deutlich wie in jenem Telegramm vom 27. August 1952[39].

Niemand konnte von den Sowjets erwarten, daß sie in einem öffentlichen Notenwechsel alle ihre Karten auf den Tisch legen würden. Manches in der Note war unbefriedigend und hätte der Klärung – am Verhandlungstisch! – bedurft. Im Gegensatz zu Graml sieht denn auch Loth „gerade in der mangelnden Attraktivität einen Beweis für die Ernsthaftigkeit"[40] der sowjetischen Vorschläge. Wie jetzt die Akten deutlich machen, war genau dies die Meinung der amerikanischen Hohen Kommission in Bonn. Eine ganze Reihe von Punkten ließ im übrigen verschiedene

Auslegungen zu; nicht eindeutig waren die Begriffe der „freien gesamtdeutschen Wahlen", der „friedens- und demokratiefeindlichen Organisationen" und des angestrebten „friedlichen, demokratischen und unabhängigen" Deutschland. In Moskau und Ost-Berlin verstand man darunter etwas anderes als im Westen; für die Kommunisten waren die nach westlichem Verständnis unfreien Wahlen im Ostblock das Muster „freier Wahlen", lediglich kommunistische Staaten galten als „friedliebend, demokratisch und unabhängig", die meisten Nichtkommunisten wurden als Feinde des Friedens und der Demokratie gebrandmarkt. In der östlichen Begleitmusik zur Note, die die SED und ihre Propagandisten entfachten, tauchten dann auch die o. g. Begriffe wieder auf. Ob allerdings aufgrund kommunistischer Semantik die Note als Störmanöver oder gar als politisch ideologische Offensive interpretiert werden kann[41], darf bezweifelt werden. Wenn die SED in begeisterter Zustimmung von einer „welthistorischen Initiative" und von einem Programm der „nationalen Wiedergeburt Deutschlands" sprach, wenn Grotewohl bei seiner Interpretation der Note in der Volkskammer am 14. März die DDR als Hort demokratischer Freiheiten, die Bundesrepublik dagegen als Ort der Kriegsverbrecher und Antisemiten und Adenauers Politik als verfassungsfeindlich bezeichnete und von daher auf die Notwendigkeit verwies, ein wirklich friedliebendes, demokratisches Deutschland nach dem Vorbild der DDR zu schaffen[42], so war dies jedenfalls wenig dazu geeignet, die Note für die Westdeutschen attraktiver zu machen. Dies war dann wohl auch die Intention, in einer Situation, in der die SED-Führung offensichtlich verunsichert war über den neuen Kurs des Kreml.

Stalins Angebot war nicht ohne Risiken für die Sowjetunion; die Opferung der SED-Herrschaft hätte zu unvorhersehbaren Rückwirkungen im gesamten Ostblock führen können; eine nationale Armee, Friedenswirtschaft und Handel ohne jede Beschränkungen für ein vereintes Deutschland stärkten nicht unbedingt den westeuropäischen Gegnern der EVG den Rücken. Das gilt insbesondere für Frankreich; deutsche Soldaten waren dort eh ein Alptraum, deutsche Soldaten in einer Nationalarmee erst recht. Es ist denn auch unbestritten, daß Stalins Angebot die EVG-Verhandlungen auf französischer Seite stabilisiert hat und erst dadurch ihr schneller Abschluß möglich wurde. Offensichtlich war der Kreml bereit, diese Risiken zu tragen: Der Einsatz war hoch, aber der Preis schien sich zu lohnen. Selbst wenn die

Vermutung zutreffen sollte, daß Stalins Kurs innerhalb der Kreml-Führung nicht unumstritten war – und die Entwicklung nach seinem Tod 1953 deutet in der Tat auf die Existenz zweier Denkschulen hin, worauf W. Loth aufmerksam gemacht hat: „einer dogmatischen, die dem ‚Aufbau des Sozialismus' in der DDR den Vorzug gab, und einer risikofreudigen, die sich von einer Neutralisierung unter bestimmten Umständen größere Vorteile für die Sowjetunion versprach"[43] –, im März 1952 hatte sich Stalin durchgesetzt. Selbst die französischen Kommunisten wurden auf den neuen Kurs eingeschworen. Ihre Haltung ist ein weiterer Beweis für die Ernsthaftigkeit des sowjetischen Angebotes – und bisher von der Forschung kaum beachtet worden. Obwohl bis zu diesem Zeitpunkt leidenschaftliche Gegner einer (west-)deutschen Wiederbewaffnung, ganz zu schweigen von einer nationalen Armee, schwenkten sie nun auf die neue sowjetische Linie ein. Der amtierende Generalsekretär der KPF, Duclos, erklärte am 14. März, einem vereinten Deutschland solle eine eigene Armee für Verteidigungszwecke zugestanden werden. Für die amerikanische Botschaft in Paris war klar, daß diese „plötzliche Kehrtwendung" auf einen Wink Moskaus zurückzuführen war; sie sei mit noch größerer Disziplin und Schnelligkeit durchgeführt worden als 1939 beim Abschluß des Hitler-Stalin-Paktes; ein Vorgang, der „ausführlich in den Sendungen der Stimme Amerikas behandelt werden müsse"[44].

Entscheidend für den gesamten Notenwechsel des Jahres 1952 sind, was vielfach übersehen wird, die erste und – mit gewissen Einschränkungen – die zweite Note. Erst für die dritte sowjetische Note vom 24. Mai 1952 – nach Ablehnung des sowjetischen Angebots und kurz vor Unterzeichnung der Westverträge – trifft die erste Schlußfolgerung von H. Graml zu – und nicht etwa für die erste und zweite, wie er impliziert –, daß damit hinter dem Schirm einer Schuldzuweisung an den Westen die Stabilisierung der DDR als Glied des Sowjetblocks erleichtert werden sollte. Zu dem gleichen Schluß kam im übrigen auch die amerikanische Hochkommission in Bonn in einer zusammenfassenden Analyse am 2. Juni.[45] Nur so ist der Bruch zwischen der zweiten und dritten Note zu erklären, der unverkennbar ist; erst die dritte Note wurde zur Propaganda, worauf auch Kennan sehr deutlich hinwies.[46] Erst sie griff wieder altbekannte sowjetische Positionen auf; allerdings, so notierte die US-Hochkommission in Bonn, bei allem, was der Kreml getan habe, habe er sorgfältig versucht, den

Eindruck zu erwecken, die Tür für Deutschlandgespräche offen-
zulassen. Die Note sei mehr als nur das Werk von Agitatoren.[47]

Nimmt man alle Indizien zusammen, so kann wohl kein Zweifel mehr daran bestehen, daß Stalin im Frühjahr 1952 bereit war,
Deutschland die Wiedervereinigung zuzugestehen. Die Frage
bleibt nur, wie weit er tatsächlich zu gehen bereit war. Dies zu
klären, das „Ausloten" der Note, wurde auf westlicher Seite für
möglich gehalten, ohne daß dadurch die Westverträge gefährdet
worden wären – wie noch zu zeigen sein wird. Dies ist eine
wesentliche Erkenntnis aus den britischen und amerikanischen
Akten.

2. Die erste Note: Adenauer „amerikanischer als die Amerikaner"?[47a]

Adenauer hat, als die Stalin-Note vorlag, alle auf „Ausloten"
gerichteten Bestrebungen „sofort und kurz entschlossen abgewürgt"[48] und mit dieser Entscheidung seine Politik auf das
schwerste belastet. Seither wird der Vorwurf gegen ihn erhoben,
die letzte wirkliche Chance für eine Wiedervereinigung vertan, ja
bewußt ausgeschlagen zu haben. Seine Entscheidung hat zu jener
erbitterten Diskussion und zu jenen Zweifeln geführt, die eine
unübersehbare Spur in die Geschichte der Bundesrepublik einge-
graben haben.

Von welchen Überlegungen hat sich Adenauer im Frühjahr
1952 bei seiner „epochalen Entscheidung" – wie dies Theodor
Schieder nennt[49] – leiten lassen? Zu „verstehen" ist sie überhaupt
nur, wenn man sie im Gesamtzusammenhang seiner Außen- und
Deutschlandpolitik[50] sieht und berücksichtigt, wie sich ihm die
Situation in jenen Wochen darstellte.

Arnulf Baring hat schon vor längerer Zeit darauf hingewiesen,
daß für Adenauer die EVG „Ziel, nicht Mittel zum Ziel" war und
die Wiedervereinigung „kein Ersatz für die westeuropäische Integration" sein konnte[51].

Die Gründe für die Entscheidung, die Adenauers Politik der
Westbindung zugrunde lagen, sind bekannt: sein Streben, nicht
noch einmal nach vermeintlichen oder tatsächlichen, historisch
jedenfalls desavouierten Sonderwegen Deutschlands zu suchen,
d. h. das Gesicht der Deutschen für immer nach Westen zu
wenden, (West-)Deutschland aus der elenden Schaukellage zwi-

schen Ost und West befreien, seine Angst vor dem „Super-Versailles", sein „Potsdam-Komplex", d. h. seine Furcht vor einem Diktat der Siegermächte, vor Verhandlungen über Deutschland ohne gleichberechtigte Beteiligung der Deutschen; seine Sorge vor dem Wiederaufleben eines deutschen Nationalismus, damit verbunden sein Pessimismus, mit dem er die politischen Fähigkeiten der meisten Deutschen einschließlich der Führungen der Parteien beurteilte; seine Überzeugung, „daß das deutsche Volk nicht stark genug ist – weder politisch, militärisch und biologisch noch psychisch und charakterlich – eine eigenständig-freie Mitte-Stellung in Europa, und das hieß unter den gegebenen Umständen: Zwischen den Giganten in Ost und West, zu wahren"[52]. In diesem Sinne also EVG als Ziel, ein westeuropäischer Bundesstaat, in dem die Bundesrepublik sozusagen „aufgehen" konnte. Aber war dies bereits das „Endziel", gingen Adenauers Überlegungen nicht weiter? Was blieb von Adenauers Behauptung, dieser „Abmarsch der Bundesrepublik in den Westen", wie Gustav Heinemann das damals nannte[53], sei zugleich auch der kürzeste Weg zur Wiedervereinigung? Waren alle seine Wiedervereinigungsbeteuerungen eine einzige gigantische Lüge? Hat er nicht erkannt, daß sich Westintegration und Wiedervereinigung ausschlossen? War er so naiv – was ich bezweifle –, in dieser Frage auf die Solidarität der Westmächte zu hoffen und ihren Wiedervereinigungsbekundungen zu glauben? Es gibt keine schlüssigen Antworten auf diese Fragen, es sei denn, man unterstellt Adenauer, daß er die Wiedervereinigung überhaupt nicht wollte. Liegt seine Größe vielleicht gerade darin, daß er in nüchterner Einsicht in die tieferen Schichten der Realität jeden Gedanken an eine Wiedervereinigung von vornherein fallenließ? War es also so, wie es Arnulf Baring, der Adenauer inzwischen eher wohlwollend-kritisch sieht, bei den 7. Aschaffenburger Gesprächen am 12. Mai 1984 formulierte:

> „Adenauer hat die eigenen Leute hinters Licht geführt, wenn er behauptete, die Wiedervereinigung sei das oberste Ziel seiner Politik. Er gaukelte ihnen sogar vor, die Stalin-Note vom März 1952 sei der Beweis dafür, daß man mit Geduld und Festigkeit noch viel mehr erreichen könne – die reine Unwahrheit! Aber gerade das war Adenauers Größe, daß er als erster begriff, daß es keine Chance für eine Wiedervereinigung in Freiheit gab und eine Neutralisierung eines wiedervereinigten Deutschlands den politischen Selbstmord bedeuten würde."

Der Protest blieb nicht aus in Aschaffenburg. Rudolf Morsey widersprach fast leidenschaftlich: Eine solche Lüge in einer zentralen politischen Frage sei nicht jahrzehntelang durchhaltbar[54].

Wie hat Adenauer damals argumentiert, und wie soll man seine Argumente werten? Schon vor der Stalin-Note hatte er in der Bundestagsdebatte am 7. Februar 1952 gesagt: „Ich glaube, daß wir die Wiedervereinigung Deutschlands nur erreichen werden mit Hilfe der drei Westalliierten, *niemals* mit Hilfe der Sowjetunion"[55]. Wenn er daran wirklich geglaubt hat, wie sollte dies realisiert werden? Hieß das denn nicht im Klartext: wenn nicht mit der Sowjetunion, dann gegen sie? In seiner Antwort hatte Ollenhauer ihn gefragt, ob er sich der ganzen innenpolitischen und internationalen Tragweite dieser Feststellung bewußt sei: „Denn wenn wir nicht an den offenen Konflikt zwischen West und Ost glauben [. . .], dann ist die These, die Einheit mit den drei Westmächten herstellen zu können, falsch." Und weiter: „Wie verhält sich die Eingliederung der Bundesrepublik in das Verteidigungssystem des Westens zur Frage der deutschen Einheit?"[56] Dies waren in der Tat die zentralen Fragen.

Auf einer CDU-Veranstaltung in Heidelberg am 1. März 1952 nannte Adenauer das Rezept:

> „Wenn der Westen stärker ist als Sowjetrußland, dann ist der Tag der Verhandlungen mit Sowjetrußland gekommen. Dann wird man auf der einen Seite Deutschland die Furcht nehmen müssen, die es hat. Dann wird man auch Sowjetrußland klarmachen müssen, daß es nicht so geht, daß es unmöglich halb Europa in Sklaverei halten kann und daß im Wege einer Auseinandersetzung – nicht einer kriegerischen Auseinandersetzung, sondern im Wege einer friedlichen Auseinandersetzung – die Verhältnisse in Osteuropa neu geklärt werden müssen."[57]

Am 5. März betonte er in einem Interview mit Ernst Friedländer:

> „Erst wenn der Westen stark ist, ergibt sich ein wirklicher Ausgangspunkt für friedliche Verhandlungen mit dem Ziel, nicht nur die Sowjetzone, sondern das ganze versklavte Europa östlich des Eisernen Vorhangs zu befreien, in Frieden zu befreien."[58]

Als dann die Note auf dem Tisch lag, wies er genau auf diesen Aspekt hin. Am 16. März nahm er auf der ersten Tagung des Evangelischen Arbeitskreises der CDU in Siegen zum erstenmal

öffentlich und grundsätzlich Stellung zur Stalin-Note. Er erklärte
u. a.:

> „Seien wir uns darüber klar, daß dort [im Osten] der Feind des
> Christentums sitzt. Hier handelt es sich nicht nur um politische,
> sondern auch um geistige Gefahren [...] Es gibt drei Möglichkei-
> ten für Deutschland: den Anschluß an den Westen, Anschluß an
> den Osten und Neutralisierung. Die Neutralisierung aber bedeutet
> für uns die Erklärung zum Niemandsland. Damit würden wir zum
> Objekt und wären kein Subjekt mehr. Ein Zusammenschluß mit
> dem Osten aber kommt für uns wegen der völligen Verschieden-
> heit der Weltanschauungen nicht in Frage. Ein Zusammenschluß
> mit dem Westen bedeutet – und das möchte ich nach dem Osten
> sagen – in keiner Weise ein[en] Druck gegen den Osten, sondern
> er bedeutet nichts anderes als die Vorbereitung einer friedlichen
> Neuordnung des Verhältnisses zur Sowjetunion, zur Wiederver-
> einigung Deutschlands und zur Neuordnung in Osteuropa. Und
> das sind auch die Ziele unserer Politik."

Er ging dann direkt auf die Note ein und meinte:

> „Im Grunde genommen bringt sie wenig Neues. Abgesehen von
> einem starken nationalistischen Einschlag will sie die Neutralisie-
> rung Deutschlands und sie will den Fortschritt in der Schaffung der
> Europäischen Verteidigungsgemeinschaft und in der Integration
> Europas verhindern."

Nationale Streitkräfte lehnte er ab:

> „Es gehören ungeheure Summen dazu, auch nur einige Divisionen
> auszurüsten, an die wir gar nicht denken können, und deshalb ist
> dieser Teil der sowjetischen Note nichts weiter als Papier und
> sonst gar nichts! Aber die Note ist da, und sie muß beantwortet
> werden, und sie bedeutet, wenn auch in viel geringerem Maße, als
> man das allgemein glaubt, doch einen gewissen Fortschritt, und
> darum dürfen wir keine Möglichkeit außer acht lassen, zu einer
> friedlichen Verständigung zu kommen und eine Neuordnung in
> dem von mir beschriebenen Sinne zu bekommen. Aber auf der
> anderen Seite dürfen wir unter gar keinen Umständen zulassen,
> daß eine Verzögerung in der Schaffung der Europäischen Vertei-
> digungsgemeinschaft Platz greift; denn eine solche Verzögerung
> würde wahrscheinlich auch das Ende dieser gemeinsamen Bestre-
> bungen bedeuten [...] Wenn diese Dinge jetzt nicht zu Ende
> gebracht werden, dann sind sie nach meiner Auffassung ein für
> allemal vorbei, und darum wiederhole ich: Der allgemeine Stand-
> punkt gegenüber dieser Note muß sein: Wir dürfen nicht außer
> acht lassen, daß jede Möglichkeit, bald zu einer Neuordnung

Osteuropas zu kommen, ausgenutzt werden muß. Wir dürfen aber ebensowenig ein Werk, wie es sich jetzt der Vollendung nähert, zum Stillstand bringen; denn dann würden die Dinge sehr schlimm werden [...] Wir wollen, daß der Westen so stark wird, daß er mit der Sowjetregierung in ein vernünftiges Gespräch kommen kann, und ich bin fest davon überzeugt, daß diese letzte sowjetrussische Note ein Beweis hierfür ist. Wenn wir so fortfahren, wenn der Westen unter Einbeziehung der Vereinigten Staaten so stark ist, wie er stark sein muß, wenn er stärker ist als die Sowjetregierung, dann ist der Zeitpunkt gekommen, an dem die Sowjetregierung ihre Ohren öffnen wird. Das Ziel eines vernünftigen Gesprächs zwischen Westen und Osten aber wird sein: Sicherung des Friedens in Europa, Aufhören von unsinnigen Rüstungen, Wiedervereinigung Deutschlands in Freiheit und die Neuordnung im Osten. Dann endlich wird die Welt nach all den vergangenen Jahrzehnten das werden, was sie dringend braucht: ein langer und sicherer Frieden!"[59]

Vor dem Vorstand der CDU-Bundestagsfraktion blieb er am 25. März dabei, daß die Wiedervereinigung im Zusammenhang mit einer Lösung auch der gesamten osteuropäischen Fragen gesehen werden müsse:

„Wenn die Neuordnung Europas kommt – und sie wird kommen –, dann wird man aber auch nicht vorbeigehen können an einer Neuordnung im europäischen Osten, auch bei den Satellitenstaaten ... Wenn diese Aussprache kommt, kann sie sich nicht nur auf die deutsche Sowjetzone beziehen, sondern auf den ganzen europäischen Osten. Deshalb darf die Aussprache mit den Sowjets nicht zu früh kommen, da jetzt die Dinge noch nicht so weit sind. Wir müssen eben im richtigen Augenblick mit den Sowjets ins Gespräch kommen. Das kann aber erst sein, wenn der Westen stark ist, so daß die Sowjets auf uns und den Westen hören. Ich habe die feste Zuversicht, daß die Sowjets keinen heißen Krieg führen werden. Wann nun wird der Zeitpunkt für die entscheidenden Gespräche gekommen sein? Jedenfalls werden nicht viele Jahre darüber hingehen. Unter General Eisenhower als USA-Präsident wird dies alles schneller gehen, weil dies auch ganz seine eigene Konzeption ist. Infolgedessen werden in der nächsten Zeit an unsere Nerven stärkere Anforderungen gestellt werden, was wir aber hinnehmen müssen. Verhandlungen mit den Sowjets im jetzigen Stadium wären für uns geradezu schädlich."[60]

Der Westkurs würde also nicht nur die Wiedervereinigung, sondern auch noch die Befreiung Osteuropas bringen? Hat Adenauer ernsthaft daran geglaubt, oder ging es ihm nur darum, wie

Baring meint, „diejenigen zu beschämen, die da jetzt auf Verhandlungen drängten, und zu sagen: Wartet noch ein Weilchen, dann wird noch ganz etwas anderes möglich, nämlich die Neuordnung in Osteuropa?"[61] Dies war es wohl auch, aber nicht nur, denn wie sonst lassen sich die Äußerungen vom 1. und 5. März erklären? Warum argumentiert er noch genauso in seinen „Erinnerungen"?

> „Erst wenn der Westen stark war, konnte sich ein wirklicher Ausgangspunkt für Friedensverhandlungen ergeben mit dem Ziel, nicht nur die Sowjetzone, sondern das ganze versklavte Europa östlich des Eisernen Vorhangs zu befreien, und zwar im Frieden zu befreien. Der Weg in die Europäische Gemeinschaft erschien mir der beste Dienst, den wir den Deutschen in der Sowjetzone erweisen konnten."[62]

Von welchen Erwägungen ließ sich Adenauer damals in seiner Beurteilung der sowjetischen Politik leiten? In seinen „Erinnerungen" gibt er auch darauf ausführlich Antwort:

> „Die Sowjetunion hatte sich in ihren Aufgaben übernommen. Sie konnte nicht gleichzeitig ihr Reich [. . .] zu einem wohlfunktionierenden Staat aufbauen, ihren gewaltigen innenpolitischen Aufgaben gerecht werden und gleichzeitig mit den Vereinigten Staaten in der Aufrüstung Schritt halten. Sie konnte das schon nicht aus dem einfachen Grunde, weil ihre Landwirtschaft nicht ausreichte, um ihre Menschen zu ernähren aus Mangel an anbaufähigem Boden und aus Mangel an Arbeitskräften und Maschinen. Sowjetrußland konnte den Westen nicht niederringen, es konnte auch nicht auf die Dauer mit dem Westen weiterleben in dem gegenwärtigen Spannungsverhältnis, zumal die chinesische Gefahr im Hintergrund auftauchte. Die Entwicklung würde eines Tages dazu führen, daß es sich entscheiden mußte: entweder Auseinandersetzung mit Westeuropa und dessen Eroberung oder aber Auseinandersetzung mit den Chinesen[63]. Sowjetrußland war bestrebt, Asien nach seinen Vorstellungen kommunistisch zu machen. Es würde zwangsläufig mit den Chinesen in Konflikt kommen, die gleichzeitig versuchten, Asien zu bolschewisieren, jedoch nach chinesischen Vorstellungen und unter asiatischer Führung. Meine Hoffnung war, die Sowjetunion werde eines Tages einsehen: Alles zusammen können wir nicht machen. Meine Hoffnung war, sie werde dann ihre Kräfte auf die Auseinandersetzung mit den Chinesen konzentrieren und Europa in Ruhe lassen. Auf diese Entscheidung mußte gewartet werden. Damit die Entwicklung diesen Gang nähme, mußte das westliche, freie Europa zusammengeschlossen werden, mußte Frankreich als eines der

Kernländer unbedingt an der Einigung entscheidend mitwirken. Der Zusammenschluß Europas war notwendig, damit Sowjetrußland einsah: Europa ist so fest zusammengefügt, da kannst du nichts mehr herausbrechen, da ist nichts mehr zu machen. Und es gleichzeitig mit diesem Europa, mit den Vereinigten Staaten und mit China aufnehmen, ist unmöglich. Auf diese Erkenntnis mußten wir geduldig warten."[64]

Mit den Protokollen der „Teegespräche"[65] – Adenauer lud regelmäßig ausgewählte Journalisten zu diesen vertraulichen Gesprächen ein – liegt jetzt eine weitere Quelle vor, die zwar nicht so hochrangig ist, wie sich das der Historiker wünscht, die aber dennoch Aufschluß darüber gibt, von welchen Überlegungen sich der Kanzler leiten ließ, und vor allen Dingen, wie er die öffentliche Meinung in seinem Sinne beeinflußte. Beinahe bis zum Überdruß tauchen in diesen Protokollen immer wieder die gleichen Gedanken auf. Das Ziel der Sowjetunion sei es, Deutschland durch Neutralisierung zu isolieren, damit die Integration Europas unmöglich zu machen und endlich im Zuge des Kalten Krieges ganz Europa zu erobern. Frankreich und Italien seien nicht stark genug, die Integration Europas zu verwirklichen, Großbritannien habe seine eigenen Interessen, und die USA würden sich in einem solchen Falle enttäuscht von Europa zurückziehen (Europa würde, „das ist nicht zu schwach formuliert, [das] muß real gesehen werden, russisch werden")[66]. „Dies alles wäre die Fortsetzung eines Dramas, dessen erster Akt die 1945 begonnene Unterjochung der Satellitenländer sei"[67]; eine Isolierung und Neutralisierung Deutschlands würde bedeuten, „daß Deutschland zwischen den beiden gewaltigen Machtblöcken schließlich in den russischen Sog geraten würde"[68], Neutralisierung wäre einem „Selbstmord" Deutschlands gleichzusetzen[69], sie würde „das freie Deutschland zusammen mit der Ostzone in die Sklaverei bringen"[70]. Die Frage der Wiederherstellung der Einheit war demnach für Adenauer nicht die entscheidende Frage, sondern lediglich *„eine* Frage eines ganz großen Bündels von Fragen"[71], Teil einer „fast den Erdball umspannenden Reihe von Fragen"[72]. Eine Freigabe der Sowjetzone würde zu einer Bewegung zur Freiheit in den Satellitenstaaten, in Polen beginnend, führen. Wenn die Sowjetunion eines Tages bereit sei zu verhandeln – „und der Tag wird kommen nach meiner Überzeugung"[73] –, dann werde nicht nur über die Sowjetzone verhandelt, „dann wird diese Frage gar keine Rolle mehr spielen", dann gehe es um die „Beruhigung des ganzen osteuropäischen Gebietes und höchstwahrscheinlich auch des ostasiatischen Gebietes"[74]. Polen werde dann „der äußerste westliche Pfeiler gegen den von Osten ausgeübten Druck sein"[75]. Voraussetzungen für den Beginn solcher Verhandlungen waren die Stärke des Westens und die Einsicht der Sowjetunion, daß aufgrund der Konsolidierung des Westens eine Eroberung Europas nicht mehr möglich sei. Adenauer wird nicht müde, immer wieder auf die „gewaltigen innenpolitischen Probleme" der Sowjetunion hinzuweisen, insbesondere das Ernährungsproblem, an dessen Lösung sie nicht vorbeigehen könne („selbst eine Diktatur mit asiatischem Einschlag müsse ihre Bevölkerung ernähren") und dem sie sich um so bereitwilliger zuwenden werde, wenn sie sehe, daß in Europa nichts mehr zu machen sei[76].

Schon Hillgruber hat darauf verwiesen, daß es Adenauer 1952 offensichtlich an einer nüchtern-realistischen Beurteilung der Weltmacht Sowjetunion, vor allem auch ihrer Deutschlandpolitik, mangelte. Und wenn Adenauer einerseits nicht müde wurde, vor der Gefahr aus dem Osten zu warnen, andererseits aber hoffte, die Sowjetunion in die Defensive drängen zu können, so entsprach dies dem „bekannten seltsam-doppelpoligen Rußland-‚Bild‘, das seit Jahrzehnten in Deutschland und auch in Westeuropa populär war, in dem sich eine Überschätzung der Bedrohung Europas durch die Sowjetunion mit der Erwartung eines plötzlichen Zusammenbruchs des Sowjetimperiums infolge seiner Überanstrengung verband, Furcht und illusionäre Hoffnung wie in einem Knäuel verwickelnd".[77]

Für Adenauer war die EVG mit der geplanten europäischen politischen Gemeinschaft „bei weitem das wichtigste historische Ereignis für Europa seit hunderten von Jahren"[78]; in diesem Sinne war die EVG „Ziel seiner Politik", gleichzeitig aber auch „Mittel zum Ziel" einer beinahe schon globalen Auseinandersetzung mit der Sowjetunion. Eines war sie für Adenauer auf gar keinen Fall: Tauschobjekt für ein Wiedervereinigungsgeschäft mit Stalin. Hier stießen zwei sich grundsätzlich ausschließende Prinzipien aufeinander. „Kein Angebot der Sowjetunion" könne ihn bewegen, so betonte er am 2. Juni 1952, „aus der Verbindung mit dem Westen auszubrechen"[79]; ein solcher Ausbruch müsse die Bundesrepublik „schließlich dem asiatischen Osten ausliefern". Die Wiedervereinigung war für Adenauer „kein Ziel für sich, sondern nur ein Glied in einer großen Kette von Auseinandersetzungen zwischen Ost und West"[80]. Das vom russischen Diktator angebotene Deutschland – blockfrei, aber bewaffnet – hatte keinen Platz in Adenauers Denken, es hätte darin auch keinen Platz gehabt, hätte Stalin sein Angebot noch verbessert. Über ein solches Deutschland gab es für Adenauer nichts zu verhandeln; insofern gab es auch für ihn bei der Note nichts „auszuloten", war die Note keine Chance, von daher die grundsätzliche sofortige Ablehnung. Hundert Meter vor dem Ziel, der Unterzeichnung der Westverträge, wollte sich Adenauer durch nichts den Erfolg – den zu erreichen mühsam genug gewesen war – nehmen lassen. Seine ganze Kraft, sein ganzes Geschick setzte er jetzt daran, um nahezu jeden Preis 1. Verhandlungen mit der Sowjetunion zu verhindern, 2. die Westverträge so schnell wie möglich unter Dach und Fach zu bringen und 3. dies alles auch noch als den einzig richtigen und zugleich kürzesten Weg zur Wiedervereinigung in der eigenen Fraktion und der deutschen Öffentlichkeit darzustellen. Allzugroße Anstrengungen waren dazu allerdings nicht erforderlich; viele dachten ohnehin so wie er.

Im Kabinett stand nur der Minister für gesamtdeutsche Fragen, Jakob Kaiser, gegen ihn: In der Kabinettssitzung am Vormittag des 11. März kam es zu einer „ziemlich heftigen Auseinandersetzung" zwischen ihm und Adenauer. Kaiser betonte, man „müsse unter allen Umständen eine positive Haltung einnehmen", auch wenn die Note an die Westmächte gerichtet sei. Adenauer war anderer Meinung: die Note richte sich „in erster Linie an Frankreich, um dieses zu seiner alten traditionellen Politik mit Rußland zurückzubringen. Man dürfe unter keinen Umständen das Mißtrauen erwecken, als wenn wir in unserer Politik schwankten". Kaiser war der Auffassung, „daß eine nationale deutsche Armee wertvoller wäre als eine europäische! Adenauer wies darauf hin, daß die europäischen Staaten allein gar nicht imstande wären, sich zu verteidigen". Dehler unterstützte ihn und stellte fest, es helfe nur brutale Offenheit. Dies war auch die Meinung von Innenminister Lehr, während Hellwege darauf verwies, daß nach dieser Note die Sowjets der Meinung seien, Deutschland müsse auf die deutschen Ostgebiete verzichten[81].

Am Nachmittag des 11. März teilte Adenauer den Hohen Kommissaren seine Grundsatzentscheidung mit. Folgt man dem britischen Kurzprotokoll, so lief der entscheidende Teil der Sitzung folgendermaßen ab: zunächst erklärte François-Poncet als

Vorsitzender, immer wenn die Russen eine für sie unangenehme Entwicklung aufhalten und zum Stillstand bringen wollten, schlügen sie eine Konferenz vor. Er sei der Meinung, die Westmächte und die Bundesregierung müßten an ihrer Grundforderung festhalten, an der auch der gute Wille der Russen zu messen sei, wonach freie, gesamtdeutsche Wahlen der erste Schritt zur Wiedervereinigung und zum Abschluß eines Friedensvertrages seien. Laut Protokoll war es dann *Adenauer*, der die Erklärung abgab, an der Politik seiner Regierung werde sich durch die russische Note nichts ändern. Das Kabinett habe die Note am Vormittag beraten und sich auf eine gewisse Sprachregelung für die Presse geeinigt, da sie für den nichtinformierten Leser einige verführerische Elemente enthalte. Ihr Ziel sei eindeutig die Neutralisierung Deutschlands, die durch eine Nationalarmee schmackhaft gemacht werden solle. Die Bundesregierung wolle aber keine Nationalarmee, im übrigen sei Deutschland gar nicht in der Lage, eine eigene, moderne Armee aufzustellen. Das andere bemerkenswerte Element der Note sei, wie sie den Nazis und deutschen Militaristen schmeichle; er, Adenauer, wisse eigentlich gar nicht, an wen sich die Note mehr richte – an das französische Parlament oder an die deutschen Rechtsparteien. Er schlage vor und hoffe auch, daß die drei Westmächte die Note schnell beantworten würden, da sonst die deutsche Öffentlichkeit ernsthaft beunruhigt werde; dabei gehe er davon aus, daß die Westmächte sich nicht auf eine Vier-Mächte-Konferenz einlassen würden. Der amerikanische Hochkommissar John McCloy betonte, die sowjetische Note sei der beste Beweis für den Erfolg der bisherigen Integrationspolitik, und sein britischer Kollege Kirkpatrick ergänzte, wenn man die Integrationsverhandlungen erfolgreich weitertreibe, würden die Sowjets früher oder später ein besseres Angebot machen. Dem stimmte Adenauer zu[82].

In Adenauers „Erinnerungen" liest sich das ganz anders. Adenauer, der dort seine Gespräche mit den Hohen Kommissaren in der Regel sehr ausführlich und korrekt wiedergibt, faßt dieses Gespräch wohl nicht ohne Grund in folgendem Satz zusammen:

„Ich begrüßte es daher sehr, daß die drei Westmächte unmittelbar nach Bekanntwerden der russischen Note mir durch ihre Hohen Kommissare am 11. März erklärten: ‚Wir werden in unseren Verhandlungen über die Europäische Verteidigungsgemeinschaft und den Deutschlandvertrag so fortfahren, als ob es die Note nicht gäbe!"[83]

Wilhelm Grewe, Teilnehmer an dem Gespräch mit den Hohen Kommissaren, erkennt die Diskrepanz zwischen Dichtung und Wahrheit, wenn er in seinen „Rückblenden" gerade auf diesen Satz verweist und betont, Adenauer habe die Äußerungen der Hohen Kommissare „dahin" verstanden[84]. Ein bezeichnendes Mißverständnis!

Damals war entscheidend, daß die Westmächte jetzt wußten: Adenauer würde nicht schwanken. Von daher bestand keine Notwendigkeit für Gespräche mit den Sowjets. Die Frage, wie man reagieren solle, hätten Adenauer, Opposition und öffentliche Meinung die Prüfung des sowjetischen Angebotes und mögliche Wiederherstellung der deutschen Einheit im Sinne dieses Angebotes – also eines militärisch blockfreien Deutschland – mit Nachdruck gefordert, blieb von Anfang an hypothetisch und ist denn auch überhaupt nicht diskutiert worden. Zumindest gibt es in den vorliegenden Akten keinen Hinweis darauf.

Mit Adenauer an der Seite der Westmächte, mit seinem sofortigen, entschlossenen Abwürgen jeder Prüfung und Sondierung der Note verloren auch anderslautende Äußerungen von CDU-Politikern an Bedeutung.

Am 12. März wandte sich nämlich Kaiser in einer Rundfunkansprache gegen „allzu hastige Meinungsäußerungen" – womit er offensichtlich die Verlautbarung des Bundespressechefs Felix von Eckardt vom Vortage meinte – und betonte:

> „Niemand wird in Abrede stellen können, daß es sich bei den Vorschlägen der Sowjetunion für einen Friedensvertrag mit Deutschland um ein gewichtiges politisches Ereignis der letzten Monate handelt. Das muß auch bei vorsichtigster Zurückhaltung dem Inhalt und der Absicht der Note gegenüber anerkannt werden. Deutschland und die Westmächte werden jedenfalls sorgsam zu prüfen haben, ob sich wirklich im Verhältnis zwischen Ost und West ein Wendepunkt andeutet."[85]

Daraufhin kam es am 14. März im Kabinett erneut zu einer Auseinandersetzung zwischen ihm und Adenauer. Nach Darstellung von Hans-Peter Schwarz, der sich auf das Tagebuch des damaligen Staatssekretärs im Kanzleramt, Otto Lenz, stützt, stellte Adenauer fest,

> „die Verträge seien im wesentlichen fertig verhandelt. Hauptstörversuch sei die russische Note, die sich die Schwäche der französi-

schen Regierung zunutze machen wolle. Oberste Pflicht sei es jetzt zu schweigen. Kaiser setzte sich zur Wehr und meinte, er habe so sprechen müssen, weil die Äußerungen der Pressestelle ungenügend gewesen seien. Auch McCloy und François-Poncet hätten sich zustimmend geäußert. Schließlich müsse man bedenken, daß alles ja noch ganz anders werden könne. Man dürfe jetzt nicht schweigen, sondern müsse reden. Adenauer beharrte auf seinem Standpunkt, das Kabinett habe einmütig beschlossen, daß die Regierung nicht Stellung nehmen solle. Daher sei Kaisers Stellungnahme unmöglich gewesen. Bezeichnenderweise sei er von den Hohen Kommissaren gefragt worden, was vermuten lasse, daß diese mit Kaisers Rede nicht ganz einverstanden gewesen seien. Seiner Auffassung nach hätte die Bundesregierung ruhig zunächst einmal die anderen reden lassen sollen. Den Alliierten wäre es sicher sehr angenehm, wenn die Deutschen zuerst redeten. Kaiser lenkte nun ein und bemerkte, auch er wolle ja nur die Politik des Bundeskanzlers unterstützen. Man müsse die unter sich uneinigen westlichen Alliierten mit sich ziehen."[86]

Vier Tage später erklärte Kaiser, wieder im Rundfunk, im Ausland sei man vielleicht da und dort der Meinung (womit er in der Tat recht hatte!), daß die Teilung Deutschlands gar nicht die schlechteste der Nachkriegslösungen sei, die Bundesrepublik müsse „also schon mit einer eigenen Konzeption zur Klärung der deutschen Frage beitragen". Dies aber konnte nach Lage der Dinge nur ein blockfreies, um die Gebiete östlich von Oder und Neiße verkleinertes Deutschland sein, „wie eine ins Riesige vergrößerte Schweiz, der Verpflichtung an irgendeine Seite abhold", wie es Paul Sethe am 22. März in der FAZ formulierte. Dafür aber gab es weder in der Regierung noch in der Koalition eine Mehrheit! Jene, die wie Sethe dachten, waren in einer hoffnungslosen Minderheit, niemand hatte das Format, die „verstreuten Skeptiker", wie Arnulf Baring sie genannt hat, zu sammeln und möglicherweise den Aufstand zu wagen; es fehlten einfach sämtliche Voraussetzungen dafür. In der CDU/CSU kam es nur zu einem „konzeptionslos-matten gesamtdeutschen Aufbegehren"[87]. Die evangelischen Christen der CDU/CSU sprachen sich nach Adenauers Rede in Siegen für dessen Politik aus und bezeichneten „jede Form" einer Neutralisierung als „unmöglich"; die Westintegration werde die Trennung Deutschlands nicht verstärken. Ähnlich reagierten der Rat der EKD, katholische Vereinigungen und große Teile der Presse[88]. Liest man die zeitgenössischen Äußerungen, dann wird erst deutlich, auf welche Geisteshaltung

Stalins Angebot stieß. In der Sitzung des Bundestages am 3. April hielt Kiesinger Adenauers Ansicht

> „für vollkommen richtig, daß, wenn wir die Verhandlungen mit dem Westen weiterführen und wir mit ihm zu einer Verständigung kommen, dann erst Sowjetrußland gezwungen wird, (Abgeordneter Renner: Aha! Gezwungen!) echte Angebote zu machen [...] Das, was Rußland uns und dem Westen anzubieten hat, ist sehr viel mehr als das, was Rußland bisher geboten hat."[89]

Euler, Fraktionsführer der FDP, war überzeugt, daß „sich inzwischen die Stromrichtung im Kalten Krieg geändert hat: die Offensive ist auf die gesamte westliche Welt übergegangen". H.J. v. Merkatz von der Deutschen Partei forderte, den „Prozeß der Zurückverlegung" der sowjetischen Westgrenze „zu beschleunigen: Rußland ist genötigt, eines Tages zurückzugehen, denn die gegenwärtige Position ist einfach nicht haltbar"[90]. Staatssekretär Hallstein, der sich in Washington aufhielt, als die Note überreicht wurde, hatte dort von einer Neuordnung Europas bis zum Ural gesprochen. Dies war vom Pressedienst der CDU sogleich mit den Worten begrüßt worden:

> „Das ist gewiß ein Ziel, das an Weiträumigkeit nichts mehr zu wünschen übrig läßt! Etappen auf dem Wege zur Erreichung dieses Zieles sind natürlicherweise die Integration des europäischen Westens, die Wiedervereinigung Deutschlands in Freiheit, der Zusammenschluß des freien Europa und endlich die Vereinigung mit dem von der bolschewistischen Tyrannei befreiten Osteuropa. Fest steht das Endziel und fest steht der Weg, der unter den gegenwärtig gegebenen Verhältnissen als einziger zum Ziele führen kann: der unablässige Ausbau der Verteidigungskraft der freien Völker, um eine Stärke zu gewinnen, die jede bolschewistische Aggression im voraus zum Scheitern verurteilt und damit den Expansionsdrang des Bolschewismus im letzten in eine rückläufige Tendenz verwandeln muß."[91]

3. Die Westmächte und die deutsche Frage: Kontrolle der Bundesrepublik durch Integration

Von welchen Vorstellungen, Zielen und Kalkülen haben sich die Westmächte damals leiten lassen? Kam das Angebot möglicherweise zu spät? Hans-Peter Schwarz äußert die Vermutung, die Sowjets hätten auf der Konferenz der Außenminister-Stellvertreter vom 5. März bis 21. Juni 1951 im Palais Marbre Rose in Paris „den entscheidenden Fehler ihrer Deutschlandpolitik gemacht. Hätte Moskau ohne Zögern einer Außenministerkonferenz zugestimmt und dabei jene Neutralisierungsvorschläge vorgelegt, die erst am 10. März 1952 in Gestalt der berühmten Stalin-Note auf den Tisch kamen, so wäre die künftige Entwicklung völlig unvorhersehbar gewesen", und zwar, weil im Frühjahr 1951 „weder festgelegt [war], ob und in welcher Form es einen deutschen Verteidigungsbeitrag geben würde, noch, wie die Zukunft des Besatzungsregimes aussehen sollte."[92] Ist dieses Argument stichhaltig? Im Frühjahr 1951 war der deutsche Verteidigungsbeitrag aus den Planungen der Westalliierten, insbesondere der Amerikaner und Briten, kaum mehr wegzudenken, und bei einem sowjetischen Angebot wäre die Entwicklung keineswegs unvorhersehbar gewesen. Im Gegenteil, in den geheimen Planspielen der Westmächte – etwa der Briten – kam schon im Sommer 1951 genau jener Vorschlag vor, den die Sowjetunion dann 1952 machte. Die Antwort war eindeutig: Eine Wiedervereinigung unter diesen Bedingungen hätte zu viele Risiken mit sich gebracht, die Teilung des Landes war allemal besser[93]. Daß die Teilung „eine sehr gute Sache" sei, davon waren im übrigen auch die Vertreter anderer westlicher Regierungen überzeugt, z. B. der italienische Botschafter in London. Bei seinem Antrittsbesuch im Foreign Office im Januar 1952 – nach mehreren Jahren Dienst in Moskau – äußerte er sich jedenfalls so und fügte hinzu, er hoffe, daß das auch noch eine ganze Weile so bleibe. Die Antwort von Frank Roberts, stellv. Unterstaatssekretär und Leiter der Deutschlandabteilung im Foreign Office, war zurückhaltend: Die Teilung helfe zweifelsohne „bei der Integration der Bundesrepublik ins westliche Europa"[94].

Die Teilung Deutschlands an der Elbe für den Fall einer feindlich gesinnten Sowjetunion: Das waren Überlegungen, die die britischen Stabschefs bereits seit Sommer 1944 verfolgt hatten, womit sie damals aber auf den Widerstand der Berufsdiplomaten im Foreign Office gestoßen waren. Diese hatten diesen Gedanken dann im Frühjahr 1946 angesichts der sowjetischen Politik aufgegriffen und seither zielstrebig verfolgt. Ihnen war es gelungen, die zögernden Amerikaner 1946/47 auf diesen Kurs zu bringen[95]. Gemeinsam ging man dann im Frühjahr 1948 daran, den Weststaat zu gründen. Die Franzosen versuchten, so gut es ging, zu verzögern. Einer ihrer Vorstöße Anfang Mai 1948 führte damals beim Leiter des Northern Department im Foreign Office, R.M.A. Hankey, zuständig auch für die Sowjetunion, zu aufschlußreichen Bemerkungen zum Thema „Einheit Deutschlands". Seiner Meinung nach bedeutete ein vereintes Deutschland eine viel größere Gefahr für den Frieden als ein geteiltes Deutschland. Er nannte folgende Gründe dafür[96]:

„1. Rußland wird ein vereintes Deutschland zwangsläufig als eine große Gefahr für sich betrachten. Es muß immer befürchten, daß dieses Deutschland von feindlichen Mächten kontrolliert wird, und für die Russen ist jede nichtkommunistische Macht feindlich. Rußland muß daher notwendigerweise versuchen, ganz Deutschland zu kontrollieren oder sich mit ihm zu verbünden.

2. Falls Rußland ganz Deutschland kontrolliert, seine Politik bestimmen kann oder mit ihm verbündet ist, wird es immer versucht sein, die Stoßrichtung der Deutschen nach Westen zu lenken und sie so vom Osten abzubringen. Rußland und Deutschland zusammen würden eine tödliche Gefahr für die westliche Welt sein. Die Probleme mit Rußland würden für uns unendlich größer, als sie es jetzt schon sind.

3. Meiner Meinung nach haben die Westmächte nicht die nötigen Mittel, um ein vereintes Deutschland von 62 Millionen oder noch mehr Einwohnern hinreichend zu kontrollieren oder es ihrem Einfluß zu unterwerfen; die Zwischenkriegszeit hat dies bewiesen. Nur die Russen können dies mit Hilfe der kommunistischen Partei und Polizeistaatmethoden.

4. Ein vereintes und nichtkommunistisches Deutschland, das mit dem Westen verbündet ist, wird bei der erstbesten Gelegenheit losschlagen, um seine verlorenen Ostgebiete zurückzuerobern. Die Westmächte können dann nicht zusehen, wie dieses Deutschland vernichtet und von Rußland besetzt wird. Als Verbündeter wäre ein vereintes Deutschland daher eine höchst gefährliche Hypothek.

5. Meiner Meinung nach wird ein vereintes, nichtkommunistisches Deutschland, selbst wenn es mit uns verbündet ist, immer versucht sein, uns mit der Drohung zu erpressen, sich mit Rußland zu verbünden, und, falls 3. zutrifft, können wir dies wohl kaum verhindern.

6. Westdeutschland mit 40 Millionen, von der Russenfurcht beherrschten Einwohnern ist dagegen auf die Zusammenarbeit mit den Westmächten angewiesen, um Schutz zu erhalten (übrigens dürfte ja wohl klar sein, daß es wiederbewaffnet werden muß)[97], und es ist vollkommen abhängig von den

Westmächten im Hinblick auf Rohstoffe, Nahrungsmittel und Absatzmärkte. Die Gefahr, daß Westdeutschland Ostdeutschland angreift, ist geringer, als daß ein vereintes Deutschland Polen angreift. Kurz gesagt: Wir würden es insgesamt viel besser im Griff haben, und es wäre eine viel geringere Gefahr für Frankreich.

7. Damit ist auf jeden Fall ganz klar, daß es ein vereintes Deutschland nicht geben darf. [‚In any case there obviously cannot be a united Germany.‘] Weder wir noch die Russen können zulassen, daß die jeweils andere Macht Deutschland allein beherrscht, und es ist auch klar, wie die letzten drei Jahre gezeigt haben, daß wir uns auf eine gemeinsame Kontrolle eben nicht einigen können. Angesichts der in Rußland vorherrschenden Ideologie war schon lange nichts anderes mehr zu erwarten, aber es war auch klar, daß wir das Experiment wagen mußten.“

Im Foreign Office stieß diese Analyse auf Zustimmung. Daran änderte sich auch nichts, als unter dem unmittelbaren Eindruck der totalen Berlin-Blockade der britische Militärgouverneur in Deutschland, Brian Robertson, im Juli dem Foreign Office einen Plan vorlegte, der die Wiederherstellung der deutschen Einheit vorsah: Freie Wahlen in Deutschland, Bildung einer Zentralregierung in Berlin und Abzug der Besatzungstruppen in bestimmte Grenzgebiete. Den Sowjets sollte als Preis für ihre Zustimmung die Teilnahme an der Kontrolle der Ruhrindustrie angeboten werden.

Der „Robertson-Plan“ ist damals im Foreign Office intensiv diskutiert und schließlich als zu gefährlich abgelehnt worden. Der stellv. Unterstaatssekretär Roger Makins, Leiter der Wirtschaftsabteilung, sprach sich gegen ihn aus:

„Wenn wir erst einmal Verhandlungen auf der Basis des Robertson-Plans begonnen haben, dürfen wir uns nicht vormachen, daß wir an einem bestimmten Punkt haltmachen können. Die Russen werden an Prestige gewinnen und in jeder Phase im Vorteil sein, da sie uns diese Verhandlungen aufgezwungen haben; sie können jederzeit die Situation in und um Berlin verschärfen, und wir würden unter Drohung verhandeln, auch wenn man dies nicht offen zeigt. Der Robertson-Plan führt zum Zusammenbruch unserer bisherigen Politik; wir werden ein wirtschaftliches ‚München‘ ungeheuren Ausmaßes erleben. Es ist eine simple Tatsache, daß wir in unserer Westeuropa-Politik schon so weit vorangeschritten sind, daß wir nicht einfach das Steuer herumreißen können, ohne unsere Interessen aufs schwerste zu gefährden. Mit einem Wort: Der Robertson-Plan bedeutet das Ende des Marshallplans."

Auch für den Leiter der Deutschlandabteilung im Foreign Office, Patrick Dean, überwogen die Nachteile: Die Vorstellung, Russen im Ruhrgebiet zu haben, war für ihn unerträglich. Außerdem würde seiner Meinung nach eine Zentralregierung in Berlin unweigerlich unter sowjetische Kontrolle geraten:

> „Ich warne vor jenem entscheidenden Ziel der Sowjets, im Ruhrgebiet Fuß zu fassen. Die Ruhr bleibt für mich die entscheidende Frage. Lassen wir die Sowjets ins Ruhrgebiet hinein, dann wird ihr Einfluß bald größer, und jede Hoffnung, das Ruhrgebiet zum Kern eines friedlichen und prosperierenden Europa machen zu können, wird zerstört."

Christopher Steel, der Leiter der politischen Abteilung der Militärregierung in Berlin, widersprach leidenschaftlich:

> „Niemand in Europa – mit Ausnahme der Briten – ist so antikommunistisch wie die Deutschen. Langfristig müssen wir auf sie setzen, um der kommunistischen Flut zu widerstehen. Ein Rückzug unserer Truppen an den Rhein und von dort Kontrolle des Ruhrgebiets wird unsere eigene politische und militärische Position nicht schwächen, und eine Beteiligung der Sowjets an der Ruhrkontrolle wird ihnen nicht mehr Möglichkeiten zur Ausbreitung des Kommunismus dort geben, als sie bereits haben; möglicherweise wird sie der kommunistischen Bewegung eher schaden."

Steel, der später Botschafter in der Bundesrepublik werden sollte, ging es um das *ganze* Deutschland:

> „Meiner Meinung nach muß es jetzt unser Ziel sein, Deutschland ohne Wenn und Aber als gleichberechtigten Partner für den Westen zu gewinnen. Haben wir uns erst einmal für *ein* Deutschland entschieden, das zwischen dem Westen und der Sowjetunion liegt, und gehen wir davon aus, daß die Sowjetunion auf Dauer eine feindliche Macht ist, dann gibt es keine andere Alternative für uns."

Robertson konnte die Kritiker seines Planes nicht überzeugen. Einen Fürsprecher fanden er und die übrigen Mitglieder der Militärregierung lediglich in Unterstaatssekretär Ivone Kirkpatrick, der später Hoher Kommissar in der Bundesrepublik werden sollte. Kirkpatrick war es denn auch, der bei aller Kritik am Robertson-Plan eine klare Alternative zu diesem Plan vermißte. Auch er sah natürlich die Risiken dieses Plans: keine Weststaatsgründung, Teilnahme der Sowjets an der Ruhrkontrolle, ein vereintes Deutschland entweder kommunistisch oder nationalistisch, das möglicherweise der Kontrolle des Westens entgleiten könnte. Aber, so Kirkpatricks Schlußfolgerung noch Anfang September 1948:

> „Die Russen würden ein größeres Risiko übernehmen: Sie müßten ihren Zugriff auf Ostdeutschland lockern, damit aber würde sich der russische Einfluß in Europa insgesamt verringern. Wir sollten rückhaltlos für die deutsche Einheit mit all den damit verbundenen Risiken eintreten; dieser Weg birgt die geringsten Gefahren in sich und ist daher der erfolgversprechendste."

Unabhängig von Robertson entwickelte der Politische Planungsstab des amerikanischen State Department unter George F. Kennan einen ähnlichen Plan[98], der u. a. den Abzug der Besatzungstruppen und die Wiederherstellung eines unabhängigen gesamtdeutschen Staates vorsah: „Wir könnten dann ohne Prestigeverlust aus Berlin abziehen, und die Bevölkerung der Westsektoren würde nicht unter sowjetische Herrschaft fallen, weil die Russen die Stadt ebenfalls verlassen würden."

Die Nachteile, die der Planungsstab auflistete, ähnelten jenen, die das Foreign Office gegen den Robertson-Plan genannt hatte. Dennoch schienen die Vorteile zu überwiegen, weil die Alternative noch weniger erträglich schien:

- dauernde Belastung mit dem Berlin-Problem;
- dauernde Belastung mit einem Westdeutschland, das ohne die Verbindung zum Osten und ohne die europäische Föderation, die augenscheinlich nicht in Gang kam, wirtschaftlich nicht lebensfähig war;
- dauernde Belastung mit Deutschen, die auf Wiedervereinigung sännen;
- dauernde Belastung mit der Sorge um die militärische Sicherung des westlichen Europa.

Beide Pläne wurden von der Entwicklung gleichsam überholt: Zum einen war der Kreml nicht bereit, wegen Berlin – und auch nicht wegen der Weststaatsgründung – einen Krieg zu riskieren, in dem der Westen, da konventionell unterlegen, Atombomben hätte einsetzen müssen. Zum anderen akzeptierten die Westdeutschen die westalliierten Pläne zur Bildung des Weststaates. Sie „warfen alle ihre Zweifel in einem Maße über Bord, daß schon bald mit einer funktionierenden Regierung gerechnet werden kann", wie dies in London kommentiert wurde[99]. In London und Washington kam die Befürchtung hinzu, daß ein Rückzug zu einem nicht wieder gutzumachenden Vertrauensverlust in Westeuropa und besonders in Westdeutschland führen würde. Präsident Truman fürchtete außerdem, man würde ihm dies im eigenen Land als Schwäche auslegen, und dies wiederum würde seine Chancen bei den im Herbst anstehenden Präsidentenwahlen erheblich beeinträchtigen. Mit wachsendem Erfolg der Luftbrücke, den Westdeutschen an der Seite der Westmächte und der Gewißheit, daß die Sowjets keinen Krieg beginnen würden, bekamen jene Kritiker recht, die von Anfang an gegen einen Neuanfang in der Deutschlandpolitik gewesen waren. Seit Herbst 1948 bestand für Engländer und Amerikaner keine Notwendigkeit mehr für einen Kompromiß mit der Sowjetunion. Mit den Worten des amerikanischen Außenministers Marshall im September 1948:

> „Die Russen sind auf dem Rückzug. Von jetzt an können sie uns nur noch in Berlin Schwierigkeiten machen; überall sonst, und besonders in Deutschland, verlieren sie an Boden. Wir haben Westdeutschland wieder auf die Beine gebracht, und wir sind dabei, den Wiederaufbau so durchzuführen, daß wir wirklich sagen können, wir befinden uns auf dem Weg zum Sieg."[100]

Wie es langfristig mit (West-)Deutschland weitergehen sollte, darüber ist damals in den westlichen Hauptstädten intensiv nachgedacht worden. Eines der interessantesten Dokumente ist im November 1948 im Foreign Office entstanden; es stammt von Unterstaatssekretär Kirkpatrick[101]. Für ihn reduzierte sich dabei das ganze Deutschlandproblem auf das Thema zukünftiger Sicherheit vor Deutschland. Wieder tauchte der Rapallo-Komplex auf: Deutschland allein war keine Gefahr mehr; nur wenn es gemeinsame Sache mit den Sowjets machte, wurde es zur „tödlichen Gefahr". Das einzige und wichtigste Ziel blieb, ein solches Zusammengehen mit den Sowjets zu verhindern. Um dies zu erreichen, sollte man den Deutschen, den größten Gaunern („best chisellers") in Europa, nicht nachlaufen und ihnen erzählen, wie wichtig sie seien, sie würden dann nur den Westen gegen den Osten ausspielen. Kirkpatrick hielt auch nichts von einer dauernden Kontrolle Westdeutschlands durch die drei Westmächte mit Hilfe des Militärischen Sicherheitsamtes. Dies sei möglicherweise der beste Weg, wenn man sicher sei, daß die Deutschen nicht jederzeit die russische Karte spielen könnten. Mit Nachdruck plädierte er dafür, die alten Sicherheitsvorstellungen („Security Shibboleths") über Bord zu werfen und Sicherheit vor Deutschland durch Integration Deutschlands, d. h. Aufnahme in die Gemeinschaft der westlichen Nationen („Western Union Club") zu erreichen – allerdings zu einem Zeitpunkt, wo dies noch als Zugeständnis („favour") an die Deutschen verkauft werden konnte – und nicht umgekehrt. Die Logik war klar, es ging darum, die Deutschen übers Ohr zu hauen („bamboozle the Germans by roping them in") und sie „am Ende wirtschaftlich, politisch und militärisch so abhängig zu machen von der westlichen Welt, daß sie es sich gar nicht leisten können, auszuscheren und ins östliche Lager zu wechseln". Die wirtschaftliche und politische Entwicklung Westdeutschlands habe man damit fest im Griff; man könne dann sogar an eine Wiederbewaffnung denken – mit völliger militärischer Abhängigkeit von den westlichen Armeen. Unter dem Mäntelchen der Gleichberechtigung („cloak of equal rights") für Westdeutschland werde man eine totale Kontrolle erreichen, mit Mitteln, die effektiver seien als etwa das (geplante) Militärische Sicherheitsamt als Dauereinrichtung. Außenminister Bevin bezeichnete Kirkpatricks Überlegungen damals als „bedenkenswert"; im Kern zeichneten sie denn auch den Weg vor, den die Entwicklung nahm. Siebzehn Monate später, am 26. April 1950, stellte Bevin in einer geheimen Kabinettsvorlage fest, es müsse auch weiter Ziel westlicher Politik sein, „die Bundesrepublik schrittweise an den Westen zu binden", u. a. durch Aufnahme in internationale Organisationen. Wenn manchmal argumentiert werde, diese Politik werde die Teilung Deutschlands endgültig festschreiben, so beschied er diese Kritiker mit der Feststellung, er glaube nicht, daß diese Bedenken gut durchdacht seien, denn „die Teilung Deutschlands ist eine vollendete Tatsache"[102].

Etwa zur gleichen Zeit legte Sir William Strang, Ständiger Unterstaatssekretär und damit höchster Beamter im Foreign Office, ein Strategiepapier vor, das sich mit dem Problem „Einheit oder Teilung Deutschlands" beschäftigte[103]. Die Arbeit an dieser als „Top Secret" eingestuften Studie war im Herbst 1949 von Experten des Foreign Office unter Federführung Strangs begonnen und am 19. April 1950 abgeschlossen worden. Auch wenn hier nur verschiedene Möglichkeiten durchgespielt und

z. B. amerikanische und französische Interessen gar nicht mitberücksichtigt wurden, mithin nichts sogleich in praktische Politik umgesetzt wurde, ist diese Studie doch hochinteressant. Sie macht deutlich, wie nüchtern und emotionslos das Thema „Einheit oder Teilung" im Sinne altbekannter „Realpolitik" abgehandelt wurde, wobei sich die Waagschale hin zur fortdauernden Teilung neigte, sie zeigt Möglichkeiten und Alternativen auf, zeigt, daß manches, was dann später im Sinne westlicher Wiedervereinigungsbemühungen öffentlich bekundet wurde, schon hier Propaganda genannt wurde, daß man eine Vereinbarung mit der Sowjetunion über Deutschland von vornherein ausschloß, falls einem vereinten Deutschland die Mitgliedschaft in der NATO offenstehen würde – eine Erkenntnis, die man dann zwei Jahre später im Notenwechsel mit der Sowjetunion öffentlich allerdings ganz anders interpretierte. Interessant ist die Studie auch insofern, als sie von einem auf Dauer entmilitarisierten Deutschland ausgeht und sich ein Vergleich mit jener Situation anbietet, die entstand, als Adenauer von sich aus im August 1950 einen deutschen Wehrbeitrag, d. h. deutsche Soldaten, anbot und die Westmächte wenig später die Grundsatzentscheidung zur Wiederbewaffnung Westdeutschlands trafen.

Nach Meinung dieser Arbeitsgruppe des Foreign Office brachte eine fortdauernde Teilung Deutschlands eine Reihe von Nachteilen und Gefahren für den Westen:

a) Die Tatsache, daß es keine Viermächteregelung gebe, sei zwar in erster Linie ein Zeichen für die weltweite Auseinandersetzung zwischen Kommunismus und „westlicher" Zivilisation, sei aber inzwischen selbst zu einem entscheidenden Faktor in dem gespannten Verhältnis zwischen Ost und West geworden.

b) In einem geteilten Deutschland ohne Friedensvertrag könne der Appell zur Einheit benutzt werden, um den deutschen Nationalismus neu zu entfachen.

c) Im Ringen der Großmächte untereinander sei Deutschland auf dem Schachbrett der Politik ein Bauer geworden, den beide Seiten in eine Dame verwandeln möchten. Dies könnte zwar auch bei einer demokratischen Zentralregierung der Fall sein, aber es bleibe doch die Tatsache bestehen, daß es, solange es keine Viermächtekontrolle gebe, für die Deutschen sehr viel leichter sei, nacheinander die Westmächte und die Sowjetunion zu erpressen und auf diese Weise wieder zu einer starken Nation zu werden und ihren beherrschenden Einfluß in Europa zurückzugewinnen.

d) In einem geteilten Deutschland bleibe die Lage der Westmächte in Berlin prekär.

e) Je länger die Russen ihren Zugriff auf die Ostzone behielten, um so schwerer werde es, die Ostzone mit der Bundesrepublik zu vereinen.

Angesichts dieser Situation seien die Westmächte genauso wie die Sowjetunion mit der Frage konfrontiert, was ihren langfristigen Interessen am meisten diene: die fortdauernde Teilung oder die Wiedervereinigung Deutschlands.

Für die Sowjets wurden zwei Alternativen genannt: A: Wiedervereinigung durch Verhandlungen mit den Westmächten. B: Verwandlung Ostdeutschlands in einen Satelliten. Daraus ergaben sich für die Westmächte die Grundsatzfragen: a) welche dieser Alternativen vorteilhafter für den Westen war und b) wie die Politik des Westens in jedem der beiden Fälle aussehen sollte. Welche Bedingungen mußten aus westlicher Sicht erfüllt sein, um mit den Sowjets zu einer Vereinbarung zu kommen? Das wiedervereinte Deutschland durfte 1. nicht von außen kontrolliert werden, mußte 2. wirtschaftlich unabhängig und 3. unfähig zu erneuter Aggression sein. Zusätzlich wurden gefordert:

a) freie Wahlen,

b) das Recht, bestimmten internationalen Organisationen wie Europarat und OEEC beizutreten,

c) Besatzungsstatut – oder etwas Ähnliches – der vier Mächte ohne Vetorecht,

d) Grundfreiheiten,

e) Viermächtevereinbarungen über bestimmte Wirtschaftsfragen (Währung, Reparationen, verbotene und eingeschränkte Industrien),

f) Beteiligung aller ehemaligen Feindstaaten Deutschlands an der Ausarbeitung eines Friedensvertrags,

g) Garantie der Grenzen Deutschlands seitens der alliierten Signatarstaaten und der deutschen Regierung,

h) für einen bestimmten Zeitraum totales Verbot einer deutschen Wiederaufrüstung,

i) Zugeständnis einer bewaffneten Gendarmerie an Deutschland,

j) totales Verbot der Rüstungsindustrie,

k) endgültige Regelung der Reparationen,
l) Auflösung der sowjetischen Aktiengesellschaften.

Was konnte die Sowjets dazu bringen, dem Westen Verhandlungen anzubieten?

a) Der Verlust ihres Einflusses in den Westzonen.

b) Die Erwartung, daß nach einer Vereinbarung die amerikanischen Truppen aus Europa abgezogen würden – die eigenen lediglich nach Polen – und langfristig das Interesse der USA an der Verteidigung Europas nachlasse. Deutschland, selbst wenn es wiedervereint sei, sei Rußland in einem modernen Krieg nicht gewachsen. Wenn es sich daher nach Verbündeten umsehe, könnte Rußland hoffen, ganz Deutschland für sich zu gewinnen, indem es auf die Schwäche Westeuropas verweise – insbesondere bei nachlassender amerikanischer Unterstützung – und auf das traditionelle deutsche Gefühl für ein Zusammengehen von Slawen und Teutonen anspiele. Um dies zu erreichen, brauchten sie nur an den Nationalismus der Deutschen zu appellieren und Deutschland nicht erst zum Kommunismus zu bekehren.

c) Es könnte sich als schwierig erweisen, die sowjetische Zone auf Dauer von Marionetten der SED verwalten zu lassen; langfristig könnte die Schaffung einer ostdeutschen Regierung dazu führen, daß die Kontrolle der ostdeutschen Bevölkerung durch die Russen schwächer würde.

d) Die Wiedervereinigung könne daher insofern attraktiv sein, als sie es den Kommunisten ermögliche, ihr Ansehen in ganz Deutschland zu verbessern und zumindest eine Position zu erlangen, wie sie z. B. die Kommunisten in Italien hätten. Auch wenn sie keine Chance hätten, an die Macht zu gelangen, könnten sie doch als starke Minderheitspartei eine wichtige Rolle spielen und von der Regierung Zugeständnisse herausholen. Selbst wenn ganz Deutschland nicht in einen russischen Satelliten verwandelt werden könne, könnten die Russen doch hoffen, Deutschland auf diese Weise zumindest zu einem Pufferstaat zwischen Ost und West zu machen.

e) Gleichzeitig brauchten die Russen nicht mehr länger Ostdeutschland Zugeständnisse und Westdeutschland Versprechungen zu machen, um die Westmächte in deren Deutschlandpolitik zu überbieten. Sie würden möglicherweise sogar hoffen, auf diese Weise die Westmächte für eine mehr repressive Politik in Deutschland zu gewinnen. Außerdem würden sie Mitglied des Militärischen Sicherheitsamtes und möglicherweise auch der Internationalen Ruhrbehörde.

f) Eine Wiedervereinigung würde zu einer Angleichung des ostdeutschen Lebenstandards an den westdeutschen führen; die Russen könnten sich so der wirtschaftlichen und politischen Belastung, allein für ein Notstandsgebiet verantwortlich zu sein, entledigen.

Wie sahen die Vorteile für den Westen bei einer solchen Politik aus?

a) Bei einer fortdauernden Teilung Deutschlands könnten die vorhandenen Spannungen und Konflikte zwischen den beiden deutschen Staaten zu Zwischenfällen führen. Eine zweite Berlin-Blockade würde eine größere Gefahr für den Frieden bedeuten als die erste 1948/49.

b) Unter einer Zentralregierung müßten die Russen die alleinige Kontrolle der Ostzone aufgeben. Jedes Nachlassen dieser Kontrolle würde zu einer Verringerung des russischen Einflusses in Europa führen.

c) Die Westmächte hätten die Chance, insbesondere während der Dauer des Marshallplanes, ganz Deutschland unter westlichen Einfluß zu bringen. Möglicherweise würde es auch gelingen, den russischen Einfluß in Osteuropa zu verringern.

d) Wie die Russen, so müßten auch die Westmächte in ihrer Deutschlandpolitik mehr und mehr die Wünsche der Deutschen berücksichtigen. Darüber hinaus könnten die Russen die Westdeutschen jederzeit mit der „deutschen Einheit" locken. Eine Vereinbarung mit den Sowjets würde das Ende dieser russischen Taktik bedeuten.

e) Die deutschen Exporte könnten auf Märkte gelenkt werden, wo sie für die britische Wirtschaft nicht mehr eine so große Konkurrenz darstellen würden.

Wie sahen die Nachteile für den Westen bei einer solchen Politik aus?

a) Russische Truppen in Polen würden wahrscheinlich nicht weniger gefährlich sein als russische Truppen an der Elbe.

b) Die Wiedervereinigung würde die Effizienz und Konkurrenzfähigkeit der deutschen Wirtschaft erhöhen und der Wirtschaft der übrigen westeuropäischen Staaten Schaden zufügen. Möglicherweise könnten die Russen als Mitglied der Internationalen Ruhrbehörde auch versuchen, die industriellen Ressourcen Deutschlands auf Kompensationsbasis für Rohstoffe nach

Osteuropa zu lenken; auf diese Weise würden sie indirekt vom Marshallplan profitieren und so Westeuropa schwächen.

c) Die Russen könnten versuchen, ganz Deutschland als Ausgangsbasis für eine Expansion nach Westen aufzubauen.

d) Als Alternative könnten die Russen versuchen, gemeinsam mit den Westmächten, Deutschland zu neutralisieren und zu einem Pufferstaat zwischen Ost und West zu machen, in der Hoffnung, es später für sich zu gewinnen.

e) In Deutschland gebe es keine demokratische Tradition. Trotz zweier Niederlagen identifiziere sich die deutsche Nation wahrscheinlich immer noch mit Nietzsches Übermenschen und Hitlers Herrenrasse, mit der Konsequenz, daß die Deutschen bemüht sein würden, die „ehemaligen deutschen Gebiete" wie Österreich, das Sudetengebiet, Ostpreußen und die von Polen „wiedergewonnenen Gebiete" östlich der Oder-Neiße zurückzuerhalten und auf diese Weise wieder eine 90-Millionen-Macht in Mitteleuropa aufzubauen.

f) Eine Wiedervereinigung würde den Abzug der amerikanischen Truppen aus Europa bedeuten und dies die Unsicherheit in Europa erhöhen. Wahrscheinlich gäbe es keine Möglichkeit, Deutschland an noch so unerfreulichen politischen Experimenten zu hindern.

Die Risiken, mit den Sowjets zu einer Vereinbarung über die Wiedervereinigung zu gelangen, wurden abschließend als „sehr real" bezeichnet, allerdings wurde auch darauf verwiesen, daß der einzige Weg zur Wiedervereinigung nur über Verhandlungen mit der Sowjetunion führe. Würden a) die Sowjets kein Angebot machen, b) ein für den Westen nicht akzeptables Angebot machen oder c) die Verhandlungen scheitern, dann war die Alternative für den Westen eine Politik, die von der fortdauernden Teilung Deutschlands ausging. Öffentlich konnte man sich weiter für die Wiedervereinigung aussprechen, aus Propagandagründen in einem passenden Moment auch gesamtdeutsche Wahlen und die Bildung einer Verfassunggebenden Versammlung vorschlagen, allerdings zu Bedingungen, die die Russen in ihrer gegenwärtigen Gemütslage nicht akzeptieren konnten. Solange es keinen befriedigenden sowjetischen Vorschlag zur Wiedervereinigung gebe, so lautete das Fazit, „können die Westmächte nur ihre gegenwärtige Politik fortsetzen, nämlich Westdeutschland enger an den Westen zu binden".

Liest man dieses Dokument, so stellt sich die – hypothetische – Frage, was wohl geschehen wäre, wenn die Prämisse, von der die britischen Planer ausgingen, erfüllt worden wäre, d. h. es zu keiner Wiederaufrüstung gekommen wäre. Mit Adenauers Angebot eines deutschen Wehrbeitrages änderten sich nämlich die Voraussetzungen grundlegend. Interessant ist, daß William Strang, auch nachdem auf massiven amerikanischen Druck die Grundsatzentscheidung für die Wiederaufrüstung im Herbst 1950 gefallen war, ein entschiedener Gegner dieser Politik blieb und es darüber noch im Dezember 1950 heftige Diskussionen im Foreign Office gab.

Die unter Leitung von Strang erstellte Studie stieß in den eigenen Reihen auf erhebliche Kritik. Sir Brian Robertson, seit August 1949 britischer Hoher Kommissar in der Bundesrepublik, lehnte sie am 5. Mai 1950 völlig ab und bezog die genau entgegengesetzte Position. Zum einen, weil die Frage Einheit oder Teilung nicht klar beantwortet worden sei, zum anderen, weil er schon seit Herbst 1949 davon überzeugt war, daß der Westen nur mit Hilfe deutscher Truppen verteidigt werden konnte. In der Frage der Wiedervereinigung durfte der Westen seiner Meinung nach keine defensive Taktik verfolgen und den Sowjets das Feld überlassen; im Gegenteil, der Westen mußte offensiv vorgehen und die Wiedervereinigung „heute, morgen und übermorgen" fordern, allerdings zu Bedingungen, die die Integration Deutschlands in den Westen implizierten und von daher „für die Sowjets absolut inakzeptabel sind und auch bleiben werden, bis sie erkennen, daß ihr Spiel aus ist"[104].

Eine Woche später nannten die drei westlichen Außenminister im Anschluß an ihre Konferenz in London Grundprinzipien für die Wiederherstellung der Einheit Deutschlands und beschlossen gleichzeitig, daß „der erste Schritt" auf diesem Weg „die Abhaltung von freien Wahlen in ganz Deutschland zu einer verfassunggebenden Versammlung sein soll"[105]. „Freie Wahlen" war von nun an das Schlüsselwort, an dem der Kreml nicht mehr vorbeikonnte, sollte sich überhaupt noch etwas in der Deutschlandpolitik bewegen. Es war auch das Wort, mit dem von nun an sämtliche Initiativen von östlicher Seite abgeblockt wurden. Adenauer und der SPD diente es gleichzeitig zur Begründung ihrer „Verweigerungsstrategie" gegenüber allen Initiativen der SED. Besson hat darauf hingewiesen, daß diese Forderung nach freien Wahlen „der tatsächlichen Machtlage in Mitteleuropa nicht angemessen [war]. Sie drohte der Sowjetunion ihre Kriegsbeute zu nehmen, ohne die Frage der Kompensationen auch nur anzuschneiden. Das machte zwar im Westen Eindruck, aber der Ansatz einer praktikablen Ostpolitik war das gewiß nicht"[106]. In London wurde in diesen Wochen insgeheim mit Befriedigung festgestellt, daß zur Durchführung der westlichen Politik „Adenauer wahrscheinlich der beste Kanzler ist, den wir kriegen können"[107].

Im Herbst 1950 schien Bewegung in die Deutschlandpolitik zu kommen, ausgelöst durch den Grundsatzbeschluß der Westmächte zur Wiederbewaffnung der Bundesrepublik. Den Auftakt machten die Außenminister der Ostblockstaaten, die auf ihrer Konferenz in Prag am 20./21. Oktober den alsbaldigen Abschluß eines Friedensvertrages mit Deutschland und den Rückzug aller Besatzungstruppen ein Jahr danach verlangten. Am 30. November schlug DDR-Ministerpräsident Grotewohl in einem Schreiben an Adenauer vor, ein „Gesamtdeutscher Konstituierender Rat unter paritätischer Zusammensetzung aus Vertretern Ost- und Westdeutschlands" solle die „Bildung einer gesamtdeutschen souveränen, demokratischen und friedliebenden Provisorischen Regierung" vorbereiten[108]. Am 3. November und dann wieder am 15. Dezember forderte die Sowjetunion die Einberufung einer Außenministerkonferenz über die Entmilitarisierung Deutschlands. Während Adenauer Grotewohls Vorstoß unter Hinweis auf „freie Wahlen" problemlos abblocken konnte (Schreiben vom 15. Januar 1951), willigten die westlichen Außenminister in eine „Vorkonferenz" der stellvertretenden Außenminister ein, die in Paris zunächst einmal eine Tagesordnung für eine mögliche Außenministerkonferenz erarbeiten sollten. Außenminister Bevin war damals über das forcierte Vorgehen der Amerikaner bei der Wiederaufrüstung der Bundesrepublik genausowenig glücklich wie sein französischer Kollege. Er schloß sogar nicht aus, die Wiederaufrüstung als Karte in zukünftigen Viermächteverhandlungen auszuspielen[109]. Er hat diesen Gedanken nicht weiter verfolgt, denn dies war kein Thema für die Amerikaner. Am 9. März 1951 mußte er zudem aus gesundheitlichen Gründen von seinem Amt zurücktreten. Vier Tage vorher hatte in Paris die Vorkonferenz begonnen, in deren Verlauf die Briten auf die Linie der Amerikaner einschwenkten; das Ergebnis war das Strategiepapier vom 1. Juni[110]. Als Ziel der Westmächte wurde darin genannt, einen Kurs zu steuern, mit dem Westdeutschland vor dem Kommunismus geschützt und damit die eigene Position in Europa gesichert werde, der aber weder negativ sei, noch so erscheine. Nach einer Analyse der sowjetischen Politik wurden dann vier Möglichkeiten zur Wiedervereinigung Deutschlands durchgespielt und sämtlich abgelehnt:

1. Deutschland darf keinerlei Militärbündnisse mit ausländischen Mächten eingehen, hat keine nationalen Streitkräfte, mit Ausnahme der Polizei; die Besatzungstruppen sind abgezogen. *Fazit*: „Jeder Plan, der zu einem neutralisierten, entmilitarisierten und nichtbesetzten Deutschland führt, muß abgelehnt werden".

2. Wie 1., allerdings werden nationale Streitkräfte zur Verteidigung zugestanden. *Fazit*: „Dieser Plan würde es den Deutschen ermöglichen, eine Schaukelpolitik zwischen Ost und West zu treiben und mit dem zusammenzugehen, der am meisten bietet". Nach Lage der Dinge war das die Sowjetunion: „Damit aber würde wahrscheinlich eine neue und gefährliche Situation entstehen".

3. Die „österreichische Lösung", d. h. ein entmilitarisiertes Deutschland mit einer Zentralregierung, vereint entsprechend den westlichen Bedingungen, aber immer noch in Zonen geteilt, von westalliierten und sowjetischen Truppen besetzt und mit einem Minimum an Vier-Mächte- Kontrollen. *Fazit*: „Der Plan hat schwere Nachteile, und es gibt im Vergleich zur gegenwärtigen Situation nichts, was für ihn spricht".

4. Eine Variante von 3.; es gäbe eine von Besatzungstruppen freie Zone, die Berlin einschließen würde, in der eine deutsche Regierung frei und ohne direkten Druck der Besatzer agieren könnte; einer solchen Regierung sollten keine Truppen zur Verfügung stehen, Militärbündnisse mit anderen Mächten würden nicht gestattet. Das nichtbesetzte Gebiet sollte dann langsam erweitert werden, bis sämtliche Besatzungstruppen das Land verlassen hätten. *Fazit*: „Auch dieser Plan bietet keine Vorteile im Vergleich zur jetzigen Lage".

Die Vorkonferenz in Paris scheiterte, weil keine Seite ernsthaft an einer Änderung des Status quo interessiert war. Das änderte sich im Herbst 1951, als bei den EVG-Verhandlungen der Durchbruch erzielt wurde. Wenn die Entwicklung im Westen überhaupt gestört oder gestoppt werden sollte, mußten bessere Angebote aus dem Osten kommen. Das erste kam am 15. September – es war das weitestgehende, das Ost-Berlin je gemacht hat: Grotewohl nahm jetzt die Forderung nach freien Wahlen ausdrücklich an. Von der paritätischen Vertretung von West- und Ostdeutschland war nicht mehr die Rede. „Deutsche an einen Tisch", hieß jetzt das Schlagwort. Erste Aufgabe gesamtdeutscher Beratungen sollte die Festlegung freier Wahlen für eine Nationalversammlung sein – nicht wie bisher der Abschluß eines Friedensvertrages. Alle demokratischen Parteien und Organisationen sollten das Recht haben, eigene Kandidatenlisten für die Wahlen aufzustellen und Wahlblocks zu bilden. Dieses Angebot hatte zweifelsohne eine bestimmte Substanz und sorgte bei den Westalliierten für nicht geringe Unruhe[111].

Adenauer konterte am 27. September mit 14 Grundsätzen einer Wahlordnung für gesamtdeutsche Wahlen und forderte statt gesamtdeutscher Beratungen eine neutrale internationale Kommission zur Überprüfung der Voraussetzungen für diese Wahlen[112].

Am 10. Oktober akzeptierte die DDR-Regierung überraschend die Mehrzahl der 14 Punkte; man hielt es allerdings für zweckmäßig, die internationale Kontrolle in den gesamtdeutschen Beratungen zu erörtern. Mit Hilfe der Westmächte würgte Adenauer dann die ostdeutsche Initiative ab: Nachdem er am 6. Oktober in einer Rede in Berlin durch Forderung nach Einbeziehung der Gebiete östlich von Oder und Neiße in die Wiedervereinigung die Bedingungen weiter hochgeschraubt[113] und beim Verfassungsgericht das Verbot von KPD und rechtsextremistischer SRP beantragt hatte – während er gleichzeitig Garantien für die Zulassung aller Parteien zu den gesamtdeutschen Wahlen verlangte –, sollte nun eine UNO-Kommission untersuchen, „inwieweit die bestehenden Verhältnisse die Abhaltung freier Wahlen in der Bundesrepublik und in der Sowjetzone Deutschlands gestatten" (Punkt 12: „Vorbereitung und Durchführung der Wahl stehen unter internationalem Schutz und internationaler Kontrolle")[114]. Dies war ein geschickt durchgeführtes Propagandamanöver; genauso wurde es auch auf westlicher Seite gesehen; niemand hat dort mit einer Zulassung der Kommission in der DDR gerechnet. Um festzustellen, daß es in der DDR keine freiheitlichen Voraussetzungen für die Durchführung gesamtdeutscher Wahlen gab, benötigte man keine UNO-Kommission, das wußte jeder. Kein geringerer als George Kennan hat später gerade an dieser Kommission massive Kritik geübt. Und wenn

Adenauer noch rückschauend in seinen „Erinnerungen" gerade die Zulassung oder Nichtzulassung der Kommission im Zusammenhang mit der Stalin-Note als „entscheidend", als „wirklich ernsthaften Schritt der Sowjetunion zum Frieden" bezeichnet, so überzeugt dies überhaupt nicht, es macht im Gegenteil deutlich, daß es damals um etwas ganz anderes ging, nämlich um die Verhinderung ernsthafter Gespräche mit der Sowjetunion. Außenminister Schuman äußerte damals gegenüber seinem britischen Kollegen Eden in Paris, Adenauer müsse sich zwar öffentlich für die Wiedervereinigung aussprechen, halte aber tatsächlich nicht viel davon, weil es sicher sei, daß bei gesamtdeutschen Wahlen die SPD eine Mehrheit erhalten werde[115]. Erwartungsgemäß lehnte die DDR-Regierung die UNO-Kommission als Einmischung in innere Angelegenheiten ab – in ihrer Presse hieß es, ein altes Kulturvolk wie die Deutschen habe keinen Grund, seine Fähigkeit zur Durchführung freier Wahlen von Brasilianern und Pakistanis überprüfen zu lassen[116] – und bat am 13. Februar 1952 den Kreml, „den Abschluß eines Friedensvertrages mit Deutschland zu beschleunigen"[117].

4. London und Paris und die erste Note: „Ein ernstgemeinter, aber sehr gefährlicher Versuch, die deutsche Frage zu lösen"

Als am 10. März die Note auf dem Tisch lag, waren sich die westlichen Beobachter einig, daß dies eine erste Reaktion sowohl auf die Beschlüsse der NATO-Konferenz vom 20. bis 25. Februar 1952 in Lissabon als auch auf die sich abzeichnende militärische und politische Integration der Bundesrepublik in den Westen war. Es stellte sich die entscheidende Frage: War dies nur ein taktisches Manöver, um den Gegnern dieser Politik Munition zu liefern, falsche Hoffnungen zu wecken, mit dem Ziel, die Politik zu torpedieren, oder signalisierte die Note einen grundsätzlichen Kurswechsel der sowjetischen Politik? Die Antwort auf diese Frage klärt auch die oben gestellte Frage nach den Zielen der Westmächte. In einer ersten Analyse am 11. März kamen Denis Allen, Leiter der Europa-Abteilung im Foreign Office, und Frank Roberts, Leiter der Deutschlandabteilung, zu dem Ergebnis:

Hauptziel der Note sei es, die Integration der Bundesrepublik in den Westen zu verzögern und, falls möglich, ganz zu verhindern. Sie solle alle jene Kritiker in Deutschland und Westeuropa ansprechen, die ihre Zweifel an der Fortsetzung der vom Westen verfolgten Integrationspolitik hätten, bevor nicht sämtliche Möglichkeiten ausgeschöpft seien, mit der Sowjetunion zu einer Einigung in der Frage der deutschen Einheit zu kommen. Daraus ergab sich für sie die Notwendigkeit, die ganze Angelegenheit in einer Weise zu behandeln, die diesen Kritikern nicht in die Hände spielte. Das hieß „auf Zeit spielen", zumindest bis zur Unterzeichnung von EVG- und Deutschlandvertrag, was von Anfang an absolute Priorität hatte. Vielleicht, so Allen und Roberts, sollte man auch darüber nachdenken, frühzeitigen Viermächteverhandlungen zuzustimmen, in der Hoffnung, „ziemlich schnell" zeigen zu können, daß eine Einigung nicht möglich sei. *Danach* könnten dann die Verhandlungen mit der Bundesregierung fortgesetzt werden. Man war sich allerdings über die Risiken eines solchen Kurses einig: Die US-Regierung werde dem wohl kaum zustimmen[118].

Bemerkenswert an dieser Analyse und für unsere Diskussion über die Frage nach dem „deutschen Spielraum" von besonderer Bedeutung ist doch wohl Folgendes: Wenn zwei der höchsten Beamten im Foreign Office Viermächteverhandlungen *vor* Unterzeichnung von EVG- und Deutschlandvertrag nicht von vornherein ausschlossen, dann hätte ein entsprechender deutscher Wunsch wohl kaum das Ende der Westverträge bedeutet, etwa in dem Sinne, daß man die Westmächte, wie es Adenauer später formulierte, „vor den Kopf" gestoßen und ihre Hilfe aufs Spiel gesetzt hätte[119], oder wie es Grewe 1982 formulierte:

> „In dieser Situation sprach alles dafür, einen Aufschub der Vertragsverhandlungen für eine hochgradige Gefährdung des Zustandekommens der Verträge überhaupt zu halten – zumal wenn sie durch eine im Westen Mißtrauen erweckende Initiative der Deutschen bewirkt worden wäre."[120]

Wenn Gerstenmaier noch 1981 betonte, man hätte von deutscher Seite „durchaus eine Außenminister-Konferenz anregen können; das hätte im Rahmen unserer Möglichkeiten gelegen"[121], so ist ihm noch nachträglich zuzustimmen. Selbst auf amerikanischer Seite ist zumindest diskutiert worden, ob bei Beantwortung der ersten Note nicht offensiv vorgegangen werden solle, um so die Sowjets zu zwingen, ihre Karten auf den Tisch zu legen (siehe unten, S. 69 f.). Noch 33 Jahre später bestätigte Sir Frank Roberts gegenüber dem Verfasser die oben gezogenen Schlußfolgerungen, nämlich:

1. Hätte Adenauer unter Hinweis auf die innenpolitische Situation den Wunsch nach „Ausloten" der Note geäußert, d. h. auf eine Viermächte-Konferenz gedrängt, um die sowjetischen Absichten am Verhandlungstisch zu klären, so hätten die Westmächte wohl zunächst versucht, ihn von diesem Weg abzubringen, sich aber letztlich seinem Wunsch nicht entzogen, angesichts ihrer öffentlich bekundeten Wiedervereinigungspolitik gar nicht entziehen können, wollten sie nicht Gefahr laufen, in der Bundesrepublik die Grundlage für ihre Deutschlandpolitik zu verlieren.
2. Ein solcher Wunsch hätte auf keinen Fall das Ende der Integrationspolitik bedeutet[122].

Die von Bucerius dramatisch formulierte Alternative: „Mit euch – oder mit euch!" gab es demnach in dieser Form überhaupt nicht. „Mißtrauen der Westmächte", „zwischen allen Stühlen sitzen", „Gefährdung der Westverträge" war damals nicht das Thema und ist es auch heute nicht. Entscheidend ist, daß Adenauer aus den bereits genannten Gründen keine Verhandlungen wollte! Nachdem er dies am 11. März den Hohen Kommissaren unmißverständlich klargemacht hatte, bestand auch für das Foreign Office, das bei der Formulierung der westlichen Notenpolitik sofort die Initiative übernahm, keinerlei Notwendigkeit mehr, diese Möglichkeit weiterzuverfolgen. Es verwundert denn auch nicht, daß Außenminister Eden sie in der Kabinettssitzung am Vormittag des 12. März nicht erwähnte. Er bezeichnete hier die Note als „wichtigen Fortschritt gegenüber jedem Angebot", das die Sowjetunion bisher gemacht habe. Sie sei ein „schlau eingefädeltes Manöver", um die Integrationspolitik zum Scheitern zu bringen. Aber, so fügte er hinzu, sie könne auch den „ernsten Wunsch" der Sowjets nach Wiedervereinigung Deutschlands widerspiegeln. Die Taktik müsse sein: Fortsetzung der EVG- und Deutschlandvertragsverhandlungen. Vielleicht würden die Sowjets dann ein noch besseres Angebot machen. Wie ernst sie es meinten, werde sich bei der Zulassung freier Wahlen unter unabhängiger Kontrolle zeigen; es sei vielleicht bezeichnend, daß dieser Punkt in der Note nicht erwähnt werde.[123]

Die Botschafter der USA und Frankreichs stimmten Eden am Nachmittag in dessen Lagebeurteilung zu, daß die Note ein Erfolg der westlichen Politik sei und daß die Sowjetunion jetzt möglicherweise bereit sei, einen höheren Preis als bisher zu zahlen, um die Integration der Bundesrepublik in den Westen zu verhindern. Selbst wenn man das Angebot für bare Münze nehme, sei es in gar keiner Weise akzeptabel. Dennoch könne man vernünftigerweise diese Entwicklung als ermutigend betrachten. Adenauers „entschlossene Reaktion" sei zwar erfreulich, schließe aber nicht aus, daß die Vorschläge für deutsche Sozialisten und „Neutralisten" attraktiv seien. Die Antwort müsse daher der Bundesregierung in der Auseinandersetzung mit der Opposition helfen. Eden schloß jetzt nicht aus, daß die Sowjetunion freie gesamtdeutsche Wahlen anbieten werde und eine wirklich freie Regierung in Berlin errichtet werden könne. Für diesen Fall sah er neue Schwierigkeiten: Bei den anschließenden Verhandlungen über einen Friedensvertrag könne die Sowjetunion keine „annehmbaren Bedingungen" anbieten, und dann habe man die gleiche Situation wie in Österreich. Genau das gleiche Argument hatte wenige Stunden zuvor schon der französische Botschafter vorgetragen. Roberts wies darauf hin, daß die Sowjets damit allerdings nicht ihr Ziel, den Abzug der amerikanischen Truppen aus Deutschland und Westeuropa, erreicht hätten[124]. Auch im Quai d'Orsay war man zu diesem Zeitpunkt noch nicht der Meinung, daß die Note mehr als nur ein Störmanöver war[125].

Am 13. März schloß man dort die Zustimmung zu einer Viermächtekonferenz nicht aus; man müsse allerdings versuchen, die Bedingungen dafür so präzise wie möglich vorher festzulegen, u. a. Unterzeichnung des Österreich-Vertrages[126] und Einreise der UNO-Kommission in die Ostzone verlangen[127]. Einen Tag später sah die Lagebeurteilung völlig anders aus. In Paris hielt man es jetzt für das Wichtigste, nicht in eine Situation zu geraten, in der freie Wahlen stattfinden würden, in Berlin dann eine gesamtdeutsche Regierung, wahrscheinlich unter Führung Schumachers, errichtet und anschließend bei den Verhandlungen über einen Friedensvertrag, wie in Österreich, keine Fortschritte mehr erzielt würden (Anmerkung Sir William Strang: „Dies ist wichtig"). Das würde nämlich bedeuten, daß man dann alle Vorteile der EVG und der westlichen Integrationspolitik verloren hätte und im Gegenzug das vereinte Deutschland unter wachsenden Einfluß und Druck der Sowjets geraten würde. Bei der Beantwortung der sowjetischen Note müsse man im Hinblick auf die öffentliche Meinung in Deutschland das Hauptgewicht natürlich auf freie Wahlen und die Einheit legen, aber man solle sich völlig im klaren darüber sein, daß man eine Wiedervereinigung, selbst bei wirklich freien Wahlen, so lange nicht akzeptieren könne, bis der Abschluß eines zufriedenstellenden Friedensvertrages sichergestellt sei. Dann wurden jene Punkte der sowjetischen Note aufgezählt, gegen die sich die französischen Vorbehalte ganz besonders richteten:

1. *Die Saar*. Polen würde die Oder/Neiße-Grenze erhalten, Frankreich aber die Saar verlieren.
2. *Neutralisierungsklausel*. Dies würde das völlige Ende von EVG und Westintegration bedeuten.
3. *Militärklauseln*. Hier gebe es insofern ein neues Element, als nicht nur die Besatzungstruppen zurückgezogen, sondern auch die ausländischen Militärstützpunkte aufgelöst werden sollten. Der wirklich entscheidende Punkt aber sei, daß überhaupt keine Kontrollen weder bei der Neutralisierung noch bei den militärischen Bestimmungen vorgesehen seien.
4. *Wirtschaftliche Bedingungen*. Diese seien wahrscheinlich noch gefährlicher, da Deutschland beim Handel mit dem Osten völlig freie Hand erhalte (Anmerkung von Sir William Strang: „So ist es"), während auf der anderen Seite andere westeuropäische Länder wichtige Beschränkungen beim Handel mit der kommunistischen Welt auf sich genommen hätten. Deutschland würde in die Lage versetzt, mit seinem natürlichen „Hinterland" in Osteuropa und auch mit Rußland und China in großem Stil Handel zu treiben und sich auf diese Weise sehr schnell zu einer Wirtschaftsmacht entwickeln, die gewaltiger als je zuvor wäre. Es komme hinzu, daß es nichts gebe, um die Deutschen daran zu hindern, eine starke Rüstungsindustrie aufzubauen und den Armeen der Sowjetunion und ihrer Satelliten Waffen zu liefern, auch wenn die Rüstungsproduktion für die eigene Armee auf einem relativ niedrigen Niveau gehalten werde.

> „Mit anderen Worten", so notierte Frank Roberts am 14. März, „im Quai d'Orsay befürchtet man, daß die sowjetischen Vorschläge im Endeffekt darauf hinauslaufen, ein reiches und wirtschaftlich starkes Deutschland zu schaffen, das jedoch aus den genannten Gründen militärisch und auch wirtschaftlich von der Sowjetunion beherrscht wird. Im Quai d'Orsay hat man die

ursprüngliche Einschätzung der sowjetischen Vorschläge geändert und ist jetzt der Meinung, daß sie sehr viel mehr als ein taktischer Schritt sind, nämlich ein ernstgemeinter, aber sehr gefährlicher Versuch, die deutsche Frage zu lösen."

Dies veranlaßte Eden zu dem Kommentar, das sei von Anfang an seine Meinung gewesen, „die Sowjets meinen es ernst mit diesem Vorschlag. Er ist zwar nicht ungefährlich für sie, aber unterm Strich würde er ihnen gut in den Kram passen"[128].

Wenn das so war, dann war wie bisher auch schon die vorgesehene Integration der Bundesrepublik – und Fortdauer der Teilung – allemal die bessere Lösung für die Westmächte. Jetzt durfte es erst recht nicht zu Verhandlungen mit der Sowjetunion kommen, die die Integrationspolitik gefährden könnten. Es ging jetzt nicht mehr nur um die bis zu diesem Zeitpunkt immer wieder gestellte Forderung nach freien Wahlen. Das Risiko, daß die Sowjetunion diese Wahlen zugestehen würde, schien jetzt auch den Briten zu groß. Man würde dann eine gesamtdeutsche Regierung bekommen, den nächsten Schritt, Abschluß eines Friedensvertrages, würde die Sowjetunion dann aber verzögern können. Der Westen hätte aber die Bundesrepublik als Bündnispartner verloren, „ohne echte Gegenleistung"[129]. Aus Paris berichtete der amerikanische Botschafter nach einem Gespräch mit Jean Sauvagnargues, dem Leiter der Europaabteilung im Quai d'Orsay, am 19. März nach Washington:

> „Obwohl er der Meinung ist, daß die Sowjets die Zulassung der UNO-Kommission viel lieber vermeiden würden (und ihr Hinweis auf ‚frühest mögliche' Bildung einer gesamtdeutschen Regierung zeigt, daß sie keine Zwischenstation auf dem Weg zur Einheit wünschen), schließt Sauvagnargues die Möglichkeit nicht aus, daß die Sowjets für sich beschlossen haben, die Bildung einer vorläufigen gesamtdeutschen Regierung, selbst auf der Grundlage freier Wahlen, riskieren zu können, als das beste Mittel, die westliche Integrationspolitik erfolgreich und anhaltend zu verzögern. Wenn erst einmal eine solche Regierung gebildet worden ist, etwa nach österreichischem Muster, könnten die vier Mächte dann bis in alle Ewigkeit über den Friedensvertrag reden, während die Integration Westeuropas entscheidend verzögert würde und die Sowjets die Möglichkeit behielten, nach Belieben sowohl die Einheit als auch die Freiheit in ihrer Zone wieder zu zerstören."[130]

Und was würde geschehen, wenn Kurt Schumacher, der Führer der SPD, die gesamtdeutsche Regierung dann bilden würde? William Strang hatte wenige Tage zuvor auf dieses Problem hingewiesen: Unter dem Entwurf eines Antwortschreibens – gedacht als Grundlage für Dreimächteberatungen in Paris – hatte er notiert, man habe in dem Papier den Schwerpunkt auf freie Wahlen gelegt, so wie man dies in der Vergangenheit immer gefordert habe: Akzeptierten die Russen alle Bedingungen, was er für unwahrscheinlich hielt, würde wahrscheinlich aufgrund der Tatsache, daß die CDU in Ostdeutschland nur schwach sei, Schumacher die gesamtdeutsche Regierung bilden, dann Adenauers Politik der Westintegration stoppen und eine Neutralitäts- und Schaukelpolitik zwischen Ost und West treiben. Daraus zog er die eher resignierende Schlußfolgerung: „Wir müssen dieses Risiko auf uns nehmen. Wir haben keine Alternative." Genau dies bezweifelte Eden. Worum es ging, machen seine Anmerkungen deutlich. Er notierte am Rand: „Ist das wirklich so? Gibt es nicht noch andere Bedingungen, die wir stellen können? Z. B. Österreich? Ich schlage nicht vor, dies unseren Verbündeten jetzt schon mitzuteilen." Er habe diese Anmerkungen nur für den Fall gemacht, so fügte er hinzu, daß die Sowjets wirklich eine neue Politik verfolgten. Und als ob er Bestätigung bei seinen Mitarbeitern suchen wollte, fragte er: „Wenn sie die Politik realisieren können, brächte ihnen das nicht große Vorteile?"[131]

Edens Sorge war unbegründet: Die Franzosen dachten genauso; außerdem gab es zahlreiche andere Bedingungen. Zunächst die Oder-Neiße-Linie; dies war nach Meinung des britischen Botschafters in Moskau eine „wesentliche Schwäche des russischen Angebotes", obwohl dies auch für den Westen eine „heikle" Sache sei. Edens Kommentar: Der Botschafter „hat uns hier möglicherweise eine gute Karte in die Hand gespielt".[132] Sie war so gut, daß sie als Punkt 5 in der Antwortnote vom 25. März auftauchte. Den Abschluß des Staatsvertrages mit Österreich wollte auch Paris zunächst als Vorbedingung in der Antwortnote erwähnen; dies wurde dann als zu weitgehend fallengelassen, zumal das State Department die Antwort lediglich auf die freien Wahlen konzentrieren wollte. Wichtiger war Punkt 3 der Antwortnote: Handlungsfreiheit der gesamtdeutschen Regierung. Die Forderung, daß es dieser Regierung sowohl vor wie nach Abschluß eines Friedensvertrages freistehen sollte, Bündnisse einzugehen, die mit den Grundsätzen und Zielen der Vereinten Nationen in Einklang ständen (und nach westlicher Auffassung galt dies für EVG und NATO), traf die sowjetische Note im Kern und bedeutete ihre Ablehnung. Der Preis für die Freigabe der

Kriegsbeute, sprich DDR, konnte für die Sowjets nicht darin bestehen, es einer gesamtdeutschen Regierung freizustellen, über die Mitgliedschaft ganz Deutschlands in der EVG zu entscheiden, möglicherweise mit dem Ergebnis, daß sich EVG- und NATO-Truppen von der Elbe an die Oder vorschieben würden. Dies konnte ernsthaft niemand vom Kreml verlangen, da er ja gerade dies mit seinem Vorschlag verhindern wollte. Mit der Forderung nach Handlungsfreiheit einer gesamtdeutschen Regierung, die sich sehr „demokratisch" ausnahm, verlangte der Westen die Kapitulation des Kreml vor Beginn jeglicher Verhandlungen. Unter solchen Umständen würde es keine gesamtdeutsche Regierung geben. Damit hatten die Westmächte allerdings auch ihr Problem gelöst, daß eine solche Regierung, möglicherweise unter Führung Schumachers, gegen die Westintegration stimmen würde.

Am 17. März leistete Adenauer den Alliierten Entscheidungshilfe. Gegenüber den Hohen Kommissaren betonte er zunächst, was er nicht wollte: 1. eine Viererkonferenz: Sie würde zu nichts führen, zu lange dauern und die EVG und die Integration Europas nur verzögern, 2. eine glatte Ablehnung der Note: Dies würde einen schlechten Eindruck in Deutschland hinterlassen. Die Antwort solle in präzisen Rückfragen bestehen, die von jedermann leicht verstanden werden könnten, insbesondere: 1. Sind die Sowjets jetzt bereit, die UNO-Kommission in die Sowjetzone einreisen zu lassen? 2. Was meinen die Sowjets mit der Forderung, Deutschland dürfe keinerlei Koalitionen oder Militärbündnisse eingehen, die sich gegen irgendeinen Staat richten, der mit seinen Streitkräften am Krieg gegen Deutschland teilgenommen habe? Schließe das auch den Schuman-Plan, die EVG und die Integration Europas ein? Am Ende des Gespräches war man sich einig, daß die Vertragsverhandlungen auf keinen Fall verzögert werden sollten, selbst wenn es zu einer Viererkonferenz kommen werde[133].

Am 20. und 21. März traf Adenauer in Paris mit Schuman, Eden und dem amerikanischen Botschafter Dunn zusammen. Das Redaktionskomitee hatte inzwischen einen Entwurf erarbeitet, über dessen Inhalt Schuman den Kanzler am 20. März informierte und dann um dessen Meinung bat. Adenauers Antwort zeigte „völlige Übereinstimmung". Es müsse das Ziel sein, Verhandlungen mit den Sowjets zu vermeiden und die EVG-Verhandlungen voranzutreiben. Man solle kurz, einfach und verständlich antworten, nicht nur die Wahlen ansprechen, sondern auch die Grenzen, die deutsche Nationalarmee und die Neutralität. Es solle klargemacht werden, daß es Deutschland erlaubt sein müsse, die Politik der Integration Europas fortzusetzen, daß man der Einheit Deutschlands große Bedeutung beimesse und daß das Ziel der westlichen Politik der Friede sei.

Beim Treffen am nächsten Tag wurde Adenauer der Entwurf der Antwortnote gezeigt. Adenauer war zufrieden und machte lediglich zwei Anmerkungen. Der Passus über die Stellung der gesamtdeutschen Regierung schien ihm etwas unklar formuliert und daher eine Fehlinterpretation möglich, etwa in dem Sinne, daß die deutsche Öffentlichkeit daraus ableiten könne, die Westmächte würden eine österreichische Lösung für möglich halten. Dieser Punkt sollte präzisiert werden, im übrigen sollten stärker die positiven Seiten der zukünftigen Einheit Europas betont werden und weniger das Negative im Zusammenhang mit der Verhinderung eines Wiederauflebens des deutschen Militarismus[134].

5. Washington und die erste Note: warum keine offensive Strategie?

Auch auf amerikanischer Seite waren die Meinungen über die sowjetische Note zunächst nicht einhellig. Beruhigend war allerdings die deutsche Reaktion: Staatssekretär Hallstein, der sich am 11. März in Washington aufhielt, betonte sogleich im State Department, er sei sicher, daß die Note in gar keiner Weise die Politik Adenauers oder der Regierung beeinflussen werde. Die Note signalisiere keine grundsätzliche Wende in der sowjetischen Politik[135]. So äußerte sich ihm gegenüber dann auch Acheson[136]. Tatsächlich war Acheson jedoch von der Note „offensichtlich beeindruckt [...], ihr Ton war so anders als der früherer Noten". Er sei auf den nächsten Zug der Russen gespannt, wie er dem britischen Botschafter mitteilte[137]. Inzwischen liefen aus Bonn, Berlin, Paris, Moskau und London die ersten Lagebeurteilungen ein.

Für McCloy war am 11. März klar, daß die sowjetische Note „ernste und unvorhersehbare Auswirkungen" auf die Bundesrepublik haben werde[138]. Am gleichen Tag berichtete er von ersten Stellungnahmen in Bonn[139], und am 12. März, als der erste Bericht des Generalkonsuls aus Hamburg einlief (Axel Springer sprach sich für Verhandlungen aus[140]), legte er eine erste Analyse vor: Die ersten Reaktionen in der Bundesrepublik bezeichnete er als „erfreulich besonnen". Zum Glück für die Amerikaner hätten die meisten Deutschen wenig Illusionen im Hinblick auf Rußland und den Bolschewismus, die sowjetische Note könne aber insofern gefährlich werden, als viele Deutsche, denen die Einheit Deutschlands sehr viel bedeute, für ein „Ausloten" der Note seien. Das natürliche Gefühl der Deutschen, die Wiedervereinigung als vorrangiges Ziel zu sehen, könne noch stärker werden und dazu führen, die Integrationsverhandlungen zu verzögern, während man selbst sie gerade beschleunigen wolle. Da dieses Gefühl so tief verwurzelt und so amorph sei, könne man nicht sicher sein, ob es bei der ersten vernünftigen Reaktion auch bleiben werde. Sollte die westliche Antwort negativ ausfallen und die Wiedervereinigung unmöglich machen, dann erst werde die Note eine Wirkung entfalten, die sie jetzt nicht habe; sie könne dann die Integrationsverhandlungen schwer beeinträchtigen. Dann machte McCloy Vorschläge für eine Antwortnote; der Schwerpunkt lag auch hier auf freien Wahlen[141].

Aus Berlin berichtete der amerikanische Vertreter der Hohen Kommission, Cecil Lyon, man sei dort allgemein der Auffassung, die er völlig teile, daß es den Sowjets in erster Linie darum gehe, die Wiederaufrüstung und die Westintegration der Bundesrepublik zu verhindern. Nicht einig sei man sich in der Frage, wie weit die Sowjets gehen würden, um dieses Ziel zu erreichen. Nach Meinung Lyons würden die Sowjets einer Wiedervereinigung und damit Aufgabe der DDR jedenfalls nur bei entsprechenden Gegenleistungen zustimmen. Wahrscheinlich würden sie von folgenden Überlegungen ausgehen: Wenn sie Westintegration und Wiederbewaffnung als gegen ihre Expansionspolitik gerichtet und möglicherweise als Bedrohung ihrer Sicherheit betrachteten, könne dies nur durch irgendeine Form der „Neutralisierung" Gesamtdeutschlands und Abzug der Besatzungstruppen verhindert werden. Danach käme dann der zweite Schritt. Mit Hilfe der bewährten Technik kommunistischer Penetration, Propaganda, Subversion und Manipulation der „Massenorganisationen" solle dieses Deutschland allmählich dem kommunistischen Einflußbereich einverleibt werden, wobei man wohl auch mit den traditionellen Wirtschaftsbeziehungen Deutschlands zu Osteuropa und der Neigung der Deutschen zu autoritären Regierungen rechne[142]. Drei Tage später äußerte Lyon, es gebe Hinweise, daß es den Sowjets noch um etwas anderes gehen könne: Für den Fall, daß Viermächte-Verhandlungen scheiterten, erhalte der Kreml die legale und moralische Grundlage, um 1. die Westmächte für die Spaltung Deutschlands verantwortlich zu machen, 2. einen Friedensvertrag mit einer Art gesamtdeutschen Nationalkomitee abzuschließen und/oder 3. offen mit dem Ausbau der DDR-Streitkräfte fortzufahren[143].

Am 16. März ging McCloy im Zusammenhang mit der Rede Grotewohls[144] noch einmal auf die Note ein: Die meisten politischen Beobachter in Bonn hielten sie demnach für sowjetische Obstruktionspolitik. Einige sprächen von „einem grundlegenden Kurswechsel des Kreml, einem ernstgemeinten Angebot im Sinne eines umgekehrten Rapallo". Er fügte hinzu, angesichts der Tatsache, daß der Kreml es für notwendig gehalten habe, seine politischen Karten auf den Tisch zu legen, wage man in der Hohen Kommission die Vermutung, der Kreml gehe offensichtlich davon aus, daß der militärische Aufbau Westeuropas schon „weiter fortgeschritten ist, als wir selber glauben". Wenn das zutreffe, handele es sich offensichtlich um eine Entwicklung von größerer Tragweite, als man sie aus Bonner Sicht interpretieren könne[145]. Die amerikanische Botschaft in Moskau schloß genau dieses aus. Sie bezeichnete die Note am 16. März als Propaganda. Man könne sich nicht vorstellen, daß die Sowjetunion freie Wahlen in der DDR zulassen und damit die Kontrolle über dieses Land aufgeben werde, da sie ohne diese Kontrolle ihre Ziele in Europa nicht erreichen werde. Die sowjetische Politik sei traditionell darauf angelegt, lieber das zu behalten, was man habe, als sich auf einen Handel einzulassen[146].

Der amerikanische Entwurf für die Antwortnote[147] entsprach weitgehend dem britischen Entwurf[148]. Auch hier lag der Schwerpunkt eindeutig auf freien Wahlen. Mit diesem Entwurf war der Politische Planungsstab des State Department nicht einverstanden. Er schlug einen anderen Weg vor, die sowjetische Note zu beantworten. Seiner Meinung nach hatten die Russen die erste Note bereits so abgefaßt, um dann mit der zweiten ihr Minimalziel zu erreichen: die EVG-Verhandlungen zu blockieren, indem man den Westen in Vierergespräche verwickelte. Es sei leicht für sie, in der zweiten Note Vorschläge zu machen, die zwar die Westmächte, nicht aber sie selbst in Verlegenheit bringen würden, die der Westen nicht ablehnen könne, ohne als der eigentliche Verhinderer der deutschen Einheit und eines deutschen Friedensvertrages dazustehen. Das schlimmste sei dann, in Gespräche verwickelt zu sein und die EVG-Verhandlungen nicht fortführen zu können, ohne dafür von den Russen eine Gegenleistung bekommen zu haben. Um dies zu verhindern, plädierte der Planungsstab für eine offensive Strategie: Die Sowjets sollten mit ihren eigenen Waffen geschlagen werden. Die Zustimmung, über freie Wahlen zu verhandeln, sollte von der Erfüllung ganz bestimmter Bedingungen abhängig gemacht werden, über deren politische Konsequenzen im Hinblick auf die sowjetische Position in Ostdeutschland es keinerlei Zweifel geben dürfe. Auf diese Weise könnte man zeigen, daß die Sowjets nur bluffen. Die Chancen stünden neun zu eins, daß sie ihre Zone nicht öffneten: „Wie auch immer sie sich drehen und wenden, jeder wird merken, was ihre Ablehnung bedeutet". Warum nicht ganz offen aussprechen, so fragte der Planungsstab, daß man den sowjetischen Vorstoß für einen Bluff halte; daß die Sowjets nur die EVG-Verhandlungen blockieren wollten; daß die Wiedervereinigung Deutschlands immer ein Hauptziel der Westmächte gewesen sei; daß, falls die Russen für freie Wahlen und eine gesamtdeutsche Regierung seien, es dann keinen Grund gebe, nicht sofort die entsprechenden Bedingungen zu schaffen; daß, falls die Russen ihre Politik geändert hätten, dies ein Erfolg der westlichen Politik sei, und daß der Westen durch Vorantreiben der EVG-Verhandlungen weiter Druck ausüben werde, insbesondere weil die russischen Vorschläge nur ein Trick seien, um die EVG zu verhindern und die Teilung Deutschlands zu verewigen?

Der Planungsstab setzte sich mit dieser Strategie nicht durch. Er hatte nämlich die Konsequenzen aufgezeigt für den Fall, daß die sowjetische Note *kein* Bluff war und die Sowjets tatsächlich bereit waren, den Preis für freie Wahlen zu zahlen, um so den Beitritt der Bundesrepublik zur EVG zu verhindern. Dann nämlich, so lautete das Fazit, „kommen wir nicht um die Notwendigkeit herum, uns mit dem Problem eines vereinten Deutschland zu befassen und unsere Europapolitik entsprechend umzustellen"[149].

In Paris hatte sich inzwischen der amerikanische Botschafter von Briten und Franzosen überzeugen lassen, daß es nicht mehr allein um das Thema freie Wahlen gehe. Dem Kreml sollte von vornherein klargemacht werden, unter welchen Bedingungen der Westen überhaupt bereit war, zu verhandeln[150].

6. Überlegungen zwischen dem 25. März und dem 9. April: im State Department eine Mehrheit gegen die Wiedervereinigung

Am 25. März wurden die drei westlichen, identischen Noten[151] in Moskau überreicht. Außenminister Wyschinski empfing die Vertreter der Westmächte einzeln und unterhielt sich jeweils etwa 30–35 Minuten mit ihnen. Er machte dabei drei Dinge deutlich:
1. An der sowjetischen Ablehnung der UNO-Kommission werde sich nichts ändern;
2. Deutschland dürfe nicht Mitglied der NATO sein; dies sei unvereinbar mit den Prinzipien der UNO;
3. stellte er, „nicht ohne Erregung", fest, die in Potsdam beschlossene Grenzregelung sei endgültig[152].

Nach dem 25. März ging im Westen das Rätselraten über die sowjetischen Absichten weiter. Auch der französische Botschafter in London, Massigli, war jetzt davon überzeugt, daß die Sowjets ihr Angebot ernst meinten und Verhandlungen wollten. Eden pflichtete ihm am 26. März bei, er habe dies immer für möglich gehalten, bei der nächsten Note der Sowjets werde man weitersehen. Die Gespräche Wyschinskis bei Überreichung der Note waren für ihn jedenfalls „ungewöhnlich für einen solchen Anlaß"[153].

Für die amerikanische Botschaft in Moskau war klar, daß die Sowjets aus ihrer Sicht den Deutschen das attraktivste Angebot gemacht hatten, das überhaupt möglich sei: „Einheit plus Nationalarmee plus Frieden sind schwer zu überbieten". Man schloß jetzt sogar nicht mehr aus, daß die Sowjets irgendwann in der Frage der Oder/Neiße-Grenze Zugeständnisse machen würden, als „äußerstes Lockmittel [ultimate carrot], um den deutschen Esel über die Hürde zu bringen"[154].

Die Rußlandexperten in Washington sahen einen entscheidenden und grundsätzlichen Kurswechsel in der Deutschlandpolitik des Kreml[155]. Am 29. März war für McCloy bei aller Problematik klar, daß der Kreml den Deutschen ein überraschend klares Angebot gemacht habe, auch wenn man die bekannte sowjetische Semantik mitberücksichtige. Die Deutschen könnten nun selbst Vor- und Nachteile der Integrationspolitik beurteilen. McCloy schloß nicht aus, daß der Kreml mit seinem nächsten Schritt sein

Ziel entschlossen angehe, nämlich Adenauer in Deutschland zu isolieren, Deutschland von Westeuropa und Westeuropa von den USA abzukoppeln[156]. Manche Politiker in Bonn, so McCloy in einem zweiten Telegramm am 29. März, sähen Parallelen zwischen der jetzigen Situation und 1939, als es zum Hitler-Stalin-Pakt gekommen sei: Adenauer sei sich dieser Herausforderung bewußt, aber er glaube fest daran, daß die Deutschen durch eine glatte Ablehnung und den schnellen Abschluß der Westverträge ihre Loyalität zum Westen beweisen müßten. Er sei jedoch gehandicapt durch die Tatsache, daß er nicht den Eindruck erwecken dürfe, deutsche nationale Interessen den Interessen Westeuropas zu opfern, und wie ein Kabinettsmitglied [Kaiser] es formuliert habe, „amerikanischer zu sein als die Amerikaner". Einige „schwachköpfige Nationalisten" wie Blücher und Vertreter vom linken Flügel der CDU, einschließlich Kaisers und v. Brentanos, plädierten nämlich dafür, die Vertragsverhandlungen eher zu verlangsamen als zu beschleunigen und das sowjetische Angebot „auszuloten", bevor man sich unwiderruflich an den Westen binde[157].

In Washington spielte der Politische Planungsstab des State Department verschiedene Möglichkeiten durch, wie der nächste sowjetische Schritt ausfallen werde[158]. Interessant an diesem Dokument ist ein Punkt, der dann fast genauso in der sowjetischen Antwortnote auftauchen sollte. Der Planungsstab rechnete damit, daß die Sowjets die UNO-Kommission nach wie vor ablehnten und ihrerseits die Bildung einer Viermächte-Kontrollkommission und gleichzeitig Gespräche zur Durchführung der Wahlen vorschlügen. Die Russen böten dies wahrscheinlich nicht an, wenn sie nicht vorher beschlossen hätten, diese Wahlen auch durchzuführen, wobei sie wohl darauf hofften, die Durchführung noch lange Zeit verzögern zu können. Wenn die Antwortnote in Richtung freie Wahlen weisen werde, müsse man mehr als bisher mit der Möglichkeit rechnen, daß es einen Kurswechsel in der russischen Politik gegeben habe. Falls das zutreffe, „werden wir einen sehr hohen Preis von ihnen verlangen, denn wir werden gezwungen, eine Politik aufzugeben, in die wir schon eine Menge investiert haben". Man müsse dann die Russen zwingen, ihr Spiel aufzugeben oder aber schnell zu freien Wahlen kommen. Es müsse ihnen klargemacht werden, daß „das Wiedervereinigungsspiel, wenn es denn überhaupt gespielt werden soll, dann ernsthaft und bis zu *Ende* gespielt wird".

Wie dieses Spiel aussehen konnte, darüber versuchten sich die führenden Beamten des State Department in einer Lagebesprechung am 1. April Klarheit zu verschaffen. Dabei wurde deutlich, daß es in der Frage, ob man überhaupt eine Wiedervereinigung wollte, schwerwiegende Meinungsunterschiede und im Hinblick auf die grundlegenden Ziele der USA in Europa erhebliche Unklarheiten gab.

Paul Nitze, Direktor des Planungsstabes, machte in der unmittelbar anstehenden Frage, ob man gegenwärtig die Wiedervereinigung befürworte, klar, daß man sich öffentlich für freie Wahlen ausgesprochen habe, um so zur Wiedervereinigung zu kommen, und daß man jetzt nicht eine andere Position einnehmen könne. Er und der Rußlandexperte Charles Bohlen stimmten zu Beginn der Besprechung darin überein, daß die von den USA bevorzugte Lösung der deutschen Frage ein vereintes Deutschland in der EVG sei, wobei beide allerdings erhebliche Zweifel äußerten, ob Frankreich eine solche Lösung akzeptieren werde. Die Frage, wie Frankreich zu einem vereinten Deutschland stehe, das nicht Mitglied der EVG sei, wurde nicht diskutiert, aber wahrscheinlich, so heißt es im Protokoll, hätte es sehr schwere Bedenken, es sei denn, die deutsche Rüstungsindustrie werde auch weiterhin sehr strengen Kontrollen unterworfen.

Perry Laukhuff, Leiter der Deutschlandabteilung, und Jeffrey Lewis, sein Stellvertreter, waren nicht gegen ein vereintes Deutschland als Mitglied der EVG. Da sie aber Zweifel hatten, ob dies zu realisieren sei, sprachen sie sich gegen die Einheit Deutschlands und gegen die Durchführung von freien Wahlen als vorbereitenden Schritt zum gegenwärtigen Zeitpunkt aus. Nach Meinung der Deutschlandabteilung sei es besser, Westdeutschland als Mitglied in der EVG zu haben, als das Risiko eines wiedervereinigten Deutschland auf sich zu nehmen, dem es freistehe, nicht Mitglied der EVG zu werden oder aus ihr auszutreten. Bemerkenswert war, was die Runde überhaupt von einer Wiedervereinigung Deutschlands hielt. Mehrheitlich sprach man sich dagegen aus! Bohlen beschwor die Gefahr eines vereinten Deutschland in einem geteilten Europa: deutsche Vorherrschaft über Europa oder Zusammengehen Deutschlands mit der Sowjetunion. Seiner Meinung nach zielte Stalins Angebot in erster Linie auf die politisch rechtsstehenden Unternehmer, die Adenauer unterstützten, und nicht auf die Sozialdemokraten. Die Sowjetunion könne die Unternehmer mit Absatzmärkten locken, die von Osteuropa bis an den Pazifik reichten (einschließlich China) – Absatzmärkte, wie Deutschland sie im Westen nur sehr schwer gewinnen könne. Nitze teilte einige der Befürchtungen Bohlens hinsichtlich der Vorstellung eines „geeinten Deutschland in einem geteilten Europa", sprach sich aber dafür aus, das Problem entschlossen anzupacken; d. h. eine Wiedervereinigung Deutschlands würde seiner Meinung nach die Wiedervereinigung Europas als Ganzes beschleunigen. Die Teilnehmer waren sich auch nicht im klaren darüber, was die Westdeutschen eigentlich wollten, d. h. wie sie bei möglichen Schritten der Sowjets oder des Westens reagieren würden. Nitze und Ferguson glaubten, die Westdeutschen seien in erster Linie an der deutschen Einheit interessiert. John Ferguson, der stellv. Direktor des Planungsstabes, war der Meinung, daß die Westdeutschen, wenn sie zwischen Westintegration der Bundesrepublik und Wiedervereinigung zu wählen hätten, sich für die Wiedervereinigung entscheiden würden. Nitze stimmte zu, daß die Sowjets die Verhandlungen über EVG- und Deutschlandvertrag blockieren könnten, wenn sie ernsthaft ein freies, vereinigtes Deutschland wollten – was für sie die völlige Aufgabe Ostdeutschlands bedeuten würde. Er glaubte allerdings nicht daran, daß die Westdeutschen die einfache Wahl zwischen Integration und Wiedervereinigung hätten. Er sah eher eine Wahl zwischen Wiedervereinigung in naher Zukunft und jetziger Integration, die eine spätere Wiedervereinigung nicht ausschließe. Bei dieser Wahl würden sich die Deutschen seiner Meinung nach und nach Meinung der Deutschlandabteilung für die zweite Möglichkeit entscheiden. Ferguson äußerte schwere Zweifel an dieser Analyse. Geheimdienstberichte hatten ihn überzeugt, daß die Deutschen zuallererst die Einheit wollten und von den Sowjets ein ihrer Meinung nach ernstgemeintes Angebot annähmen. Er hielt es für sehr schwierig, mit Erfolg für beide Ziele gleichzeitig Propaganda zu machen, wie Botschafter Jessup vorgeschlagen hatte, nämlich gleichzeitig den Schwerpunkt auf die deutsche Einheit und die Westintegration zu legen. Auf der anderen Seite neigte Bohlen zu der Annahme, daß man den Willen der Westdeutschen nach Wiedervereinigung möglicherweise überschätze. Er frage sich, ob die Westdeutschen in der Wiedervereinigungsfrage den Sowjets gegenüber nicht mißtrauischer seien, als man dies bisher angenommen habe. Man einigte sich schließlich auf folgende Taktik, mit der man hoffte, keinen Fehler zu machen:

1. Die Integrationsverhandlungen sollten vorangetrieben werden.
2. Für den Fall, daß die Sowjetunion wirklich bereit sei, freie Wahlen und dann die Wiedervereinigung zuzulassen, wollte man die gesamtdeutsche Regierung über die weitere Mitgliedschaft Deutschlands in der EVG und der Montanunion entscheiden lassen.
3. Verhandlungen mit der Sowjetunion sollten, falls möglich, vermieden werden. Sollte es dennoch dazu kommen, dann nur auf unterster Ebene.
4. In Deutschland sollte die Propaganda verstärkt werden. Insbesondere Bohlen wies darauf hin, daß stärker als bisher vor der Gefährdung Deutschlands durch die sowjetische Armee gewarnt werden müsse und daß es notwendig sei, dieser Gefahr durch eine beschleunigte Westintegration zu begegnen.

Jessup schlug vor, den Versuch zu machen, mit Nachdruck die These zu vertreten, daß die Westintegration die Wiedervereinigung keinesfalls ausschließe. Bei diesem Punkt wiederholte John Ferguson seine schon zuvor geäußerten Zweifel, ob man die Deutschen davon wirklich überzeugen könne, zumal man selbst nicht davon überzeugt sei[159].

Im Sinne dieses Beschlusses tauchten jedenfalls über Nacht in der Bundesrepublik Propagandaplakate gegen die Stalin-Note auf, die an Deutlichkeit nichts zu wünschen übrig ließen („Heute: Deutsche Nationalarmee – Morgen: Deutsche Sowjetrepublik", herausgegeben vom „Befreiungskomitee für die Opfer totalitärer Willkür"; oder: „Moskau will das Ruhrgebiet für die sowjetische Rüstung. Deshalb soll Deutschland vom Westen isoliert werden. Niemals!" vom „Stoßtrupp gegen bolschewistische Zersetzung")[160]. Darüber hinaus drängten die USA jetzt auch auf einen schnellen Abschluß der Integrationsverhandlungen. Die Westverträge sollten in der ersten Maihälfte unterzeichnet werden. Am 12. April nannte Acheson ultimativ das Datum: 9. Mai. Für den Fall, daß die Verträge nicht mehr im Mai unterzeichnet würden, sei wegen der anstehenden Kongreßwahlen erst für Anfang 1953 mit ihrer Ratifizierung zu rechnen – wenn überhaupt[161].

7. Die sowjetische Note vom 9. April 1952: das amerikanische Verhandlungsangebot und die Ablehnung durch Adenauer

Am Abend des 9. April übergab Außenminister Wyschinski den Vertretern der Westmächte in Moskau die Antwort auf deren Note vom 25. März. Zum Punkt freie Wahlen hieß es darin, „die Anerkennung der Notwendigkeit der Durchführung freier gesamtdeutscher Wahlen [...] würde durchaus die Möglichkeit schaffen, diese Wahlen in kürzester Zeit durchzuführen". Die Prüfung, ob die Voraussetzungen für solche Wahlen gegeben seien, „könnte durch eine Kommission vorgenommen werden, die von den vier in Deutschland Besatzungsfunktionen ausübenden Mächten zu bilden wäre"[162]. Weder dem britischen Geschäftsträger Grey noch seinem amerikanischen Kollegen Cumming gelang es, zu diesem Vorschlag erläuternde Informationen von Wyschinski zu erhalten[163]. Für Grey war dieser Vorschlag denn auch Propaganda. Er fühlte sich in seiner schon nach der ersten Note geäußerten Vermutung bestärkt, daß die sowjetische Regierung *vor* Verhandlungen über einen Friedensvertrag keine Wahlen wolle[164].

Brooke Turner vom Foreign Office ging in einer ersten Analyse auf den Kern des Problems ein, nämlich die Handlungsfreiheit einer gesamtdeutschen Regierung. Nach westlicher Auffassung war eine solche Regierung nicht souverän, wenn ihr der Beitritt zu einer Militärallianz nicht erlaubt war. Die sowjetische Regierung vertrete eine gegenteilige Auffassung und habe dies in ihrer Note noch einmal ausdrücklich bestätigt. Mit dieser Note versuche die Sowjetunion, die Initiative in der deutschen Frage zu behalten. Um selbst die Initiative zu übernehmen, müsse man eigene Vorschläge machen. Dies aber sei zur Zeit eine „ziemlich unangenehme Angelegenheit"[165]. Unmittelbar nach Bekanntwerden der Note bat Adenauer die Hohen Kommissare um einen Termin. Da François-Poncet nicht ermächtigt war, an einem solchen Gespräch teilzunehmen, einigten sich die Hohen Kommissare darauf, daß lediglich Kirkpatrick als Vorsitzender Adenauer aufsuchen solle. Dies geschah am 11. April. Wie schon bei der ersten Note ging es Adenauer auch jetzt darum, den Westmächten sofort klarzumachen, was er von der neuen Note hielt und wie sie am besten beantwortet werden solle. Zunächst stellte er fest, daß er die Note nicht für besonders geschickt halte; sie richte sich in erster Linie an die deutsche Öffentlichkeit. Unter diesem Aspekt müßten die Westmächte in ihrer Antwort von Anfang an klarmachen, daß sie für die Wiedervereinigung Deutschlands in Freiheit seien. Genauso wichtig sei es, die Bereitschaft zu einer Viermächte-Konferenz zu signalisieren. Allerdings müßten vorab drei Fragen geklärt sein:

1. Die völlige Handlungsfreiheit einer gesamtdeutschen Regierung, die das Recht einschließe, Bündnisse jeder Art abzuschließen.
2. Nationale Streitkräfte.
3. Die Grenzen Deutschlands.

Interessant ist, welchen Stellenwert Adenauer jetzt den gesamtdeutschen Wahlen beimaß: Diese Frage sollte im Hinblick auf die deutsche Öffentlichkeit erst am Schluß der Antwortnote erwähnt werden. Eine Viermächte-Kontrolle der Wahlen lehnte er als Farce ab. Die Meinung der Westmächte sei bekannt und stehe in direktem Gegensatz zur sowjetischen Auffassung[166].

In seinen „Erinnerungen" erwähnt Adenauer dieses Gespräch bezeichnenderweise nicht. Daß es seine Wirkung nicht verfehlte, macht eine erste Analyse der sowjetischen Note durch das Foreign Office deutlich. Hier war man der Meinung, daß es den Sowjets auch jetzt in erster Linie darum gehe, die Westintegration der Bundesrepublik zu verhindern. Es würden lediglich die schon in der ersten Note gemachten Vorschläge wiederholt. Beim Thema freie Wahlen hätten sich die Sowjets nicht festgelegt. Offensichtlich sei es ihr Ziel, zunächst einen Friedensvertrag abzuschließen und dann eine provisorische, nicht aus freien Wahlen hervorgegangene gesamtdeutsche Regierung zu bilden. Die Schlußfolgerung daraus lautete: die bisherige Politik fortsetzen und versuchen, Unterzeichnung *und* Ratifizierung der Westverträge zu sichern. Die Note müsse so behandelt werden, daß sie die Deutschen darin bestärke, nicht nur zu unterzeichnen, sondern auch zu ratifizieren. Das hieß, die Tür für Viermächte-Verhandlungen über die deutsche Wiedervereinigung wollte man nicht zuschlagen, solche Verhandlungen vor Unterzeichnung der Verträge aber vermeiden; möglicherweise könnten sie aber im Juni oder Juli stattfinden. Bis zur Unterzeichnung gehe es darum, „auf Zeit zu spielen". Die Antwortnote solle, wie die sowjetische Note, in erster Linie an die deutsche Öffentlichkeit gerichtet sein. Dabei solle versucht werden, so weit wie möglich den Vorschlägen Adenauers zu folgen. Fraglich sei dabei nur, ob man dem Thema freie Wahlen einen so zweitrangigen Platz einräumen solle, wie er vorgeschlagen habe. Wahlen seien die erste und entscheidende Bedingung und würden Punkt 1 jeder Viermächte-Verhandlungen sein. Man müsse sie demnach weiter als Puntk 1 behandeln[167].

Am 16. April ergänzte Adenauer gegenüber den Hohen Kommissaren seine Äußerungen vom 11. April. Erstes Thema war Punkt 7 des sowjetischen Entwurfs eines Friedensvertrages vom 10. März, nach dem Deutschland sich verpflichten sollte, „keinerlei Koalitionen oder Militärbündnisse einzugehen". Für Adenauer war zwar klar, daß damit auch die EVG *und* der Schuman-Plan(!) gemeint waren, aber seiner Meinung nach war es gut, die Russen dazu zu zwingen, dies auch offen auszusprechen: „Es ist gut, wenn auch der einfältigste Mensch es verstehen kann". Noch einmal ging er dann auf die Kommission ein, die die Voraussetzungen für die Durchführung gesamtdeutscher Wahlen prüfen sollte (wobei er weiter für die UNO-Kommission plädierte). Was würde geschehen, wenn diese Kommission mehrheitlich feststellte, daß in der sowjetischen Zone die Voraussetzungen nicht gegeben seien? Man müsse die Sowjets gezielt fragen, ob sie bereit seien, entsprechende Voraussetzungen zu schaffen. Dann wurde Adenauer grundsätzlich: Seiner Meinung nach bestand nämlich die Gefahr, daß in der Öffentlichkeit der Eindruck entstünde, als ob die Sowjets die Initiative ergriffen und ein großzügiges, konstruktives Angebot gemacht hätten. Die westliche Antwortnote dürfe daher nicht einfach negativ und ablehnend ausfallen. Es gehe darum, in die Offensive zu gehen, der Sache etwas Farbe zu verleihen und zu zeigen, „auf welcher Seite die Freiheit liegt". Zum Schluß des Gespräches fragte François-Poncet – der am liebsten überhaupt nicht mit Adenauer über die Note gesprochen hätte –, wie die Sozialdemokraten reagieren würden, wenn sie den Eindruck erhielten, daß die Westmächte durch die Forcierung der EVG- und Deutschlandvertragsverhandlungen alle Brücken Deutschlands zu schnell abgebrochen hätten, ohne wirklich bewiesen zu haben, daß das sowjetische Angebot nicht ernst gemeint sei. Dies würde doch die Situation des Kanzlers und auch die der französischen Regierung erheblich verschlechtern. Der Kanzler müsse doch bemerkt haben, wie sehr die sowjetische Note der Haltung Schumachers entspreche. Er frage sich wirklich, ob es da nicht ganz bestimmte

Verbindungen gebe. Dies war das richtige Thema für Adenauer, „ein Köder, bei dem der Kanzler immer anbeißt", wie Kirkpatrick nach London berichtete. Sogleich beklagte Adenauer denn auch, daß er schon seit einiger Zeit mit großer Sorge beobachte, wie sich die SPD-Thesen immer mehr der sowjetischen Linie näherten. Er vergaß allerdings nicht hinzuzufügen, daß ihn die britische Labour Party und die französischen Sozialisten noch mehr beunruhigten. Und was das „Brückenabbrechen" anging, so war die Antwort eindeutig: Die Verhandlungen mit den Westmächten müßten so schnell wie möglich zu einem erfolgreichen Ende gebracht werden. Um sich aber nicht dem Vorwurf auszusetzen, daß man die Westverhandlungen vorantreibe und die sowjetischen Vorschläge ignoriere, sollte die Antwortnote etwa am 26. April überreicht werden[168].

Nicht ohne Grund wollte Adenauer in der Antwortnote das Thema freie Wahlen zweitrangig behandelt sehen, wertete doch die Opposition gerade diesen Punkt, nämlich die erstmalige Zustimmung Stalins zum Prinzip freier Wahlen unter internationaler Kontrolle, als Zugeständnis. Die Wirkung blieb nicht aus: In der Bundesrepublik zerbrachen die letzten Gemeinsamkeiten zwischen Regierung und Opposition. Die Gegner der Integrationspolitik forderten jetzt mit Nachdruck Viermächte-Verhandlungen. Es dürfe nichts unversucht bleiben, so Schumacher am 22. April in einem Schreiben an Adenauer, um „festzustellen, ob die Sowjetnote eine Möglichkeit bietet, die Wiedervereinigung Deutschlands in Freiheit durchzuführen". Wenn sich bei den Verhandlungen zeige, daß es keine Möglichkeit gebe, „dann wäre doch auf jeden Fall klargestellt, daß die Bundesrepublik keine Anstrengung gescheut hat, um eine sich bietende Chance zur Wiedervereinigung und Befriedung Europas auszunützen".[169]

Adenauer registrierte mit sicherem Gespür die wachsende Nervosität in der deutschen Öffentlichkeit und sah sich gezwungen, zum Schreiben Schumachers Stellung zu nehmen. Dies geschah in einem NWDR-Interview mit Ernst Friedländer am Abend des 24. April. Dabei ging er mehr als geschickt vor. Unmittelbar vor dem Interview rief er nämlich Schumacher an, sprach mit ihm über dessen Schreiben an ihn und bat sodann, mit der Veröffentlichung noch etwas zu warten, was Schumacher auch zusagte. In dem Interview selbst ging er dann auf alle von Schumacher genannten Punkte ein, ohne das Schreiben selbst zu erwähnen. Der Ton dieses Interviews war denn anfangs auch

anders als alle seine zahlreichen bisherigen Äußerungen. Er
befürwortete Vierergespräche, auch wenn er davon überzeugt sei,
daß die Sowjets es nicht ehrlich meinten. Wenn aber das Schicksal
von 18 Millionen Menschen auf dem Spiel stehe, solle sich niemand auf seine eigene Meinung verlassen. Unter Hinweis auf
ergebnislose Konferenzen mit den Sowjets in der Vergangenheit
verteidigte er dann aber sogleich den Notenaustausch: lieber
einen ausführlichen Notenwechsel und anschließend eine kurze,
erfolgreiche Konferenz als einen Notenaustausch im Anschluß an
eine erfolglose Konferenz. Auf die Frage Friedländers, ob eine
künftige gesamtdeutsche Regierung auf die Westintegration festgelegt sein werde, antwortete Adenauer unter faktischer Leug-
nung der Bindungsklausel Art. 7 Abs. 3 des Deutschlandvertrages, die zu diesem Zeitpunkt noch in ihrer ersten, ganz eindeuti-
gen Fassung im Vertragsentwurf stand:

> „Nein, denn der Generalvertrag sieht für den Fall der Wiederver-
> einigung Deutschlands die Überprüfung aller Verträge vor. Von
> hier aus gesehen wäre sogar die Ratifizierung der Verträge durch
> den Bundestag und den Bundesrat keine endgültig vollendete
> Tatsache für einen gesamtdeutschen Staat."

Es sei allerdings falsch zu glauben, man werde die deutsche
Einheit dadurch erreichen, daß man mit der Unterschrift unter
die Verträge einige Wochen oder Monate warte. Wenn man das
mache, setzten sich die Deutschen zwischen alle Stühle.
    Die Neutralisierung, wie sie die Sowjets anböten, werde
Deutschland hilflos machen und seine Freiheit zerstören. Auf die
Frage, ob seine Deutschlandpolitik von konfessionellen Präferen-
zen geprägt sei, antwortete er:

> „Parteipolitik und Konfession spielen hier überhaupt keine Rolle.
> Ich will mich gar nicht zu der Frage äußern, ob bei gesamtdeut-
> schen freien Wahlen die SPD die stärkste Partei werden wird.
> Aber so viel kann ich mit aller Bestimmtheit sagen: Ein freies
> Gesamtdeutschland mit der SPD als stärkster Partei wäre mir
> jederzeit weit lieber als eine von der Sowjetzone getrennte Bun-
> desrepublik mit der CDU als stärkster Partei. Hier steht wirklich
> das *Vaterland über der Partei* und hier beginnt der *Staatsmann
> jenseits der Partei*. Er beginnt erst recht jenseits der Konfession.
> Ich wäre außerdem ein schlechter Christ, wenn ich es vorzöge, die
> Deutschen in der Sowjetzone wegen ihres mehrheitlich evangeli-
> schen Glaubens der Sklaverei zu überlassen. In der gesamtdeut-
> schen Frage gibt es keine CDU-Politik und keine katholische

Politik. Es gibt sie ebenso wenig, wie es hier eine SPD-Politik oder eine protestantische Politik geben könnte."

Abschließend machte er noch einmal seine Grundposition klar: Die Einheit Deutschlands sei eng verbunden mit dem Frieden in der Welt. Wenn die Bemühungen zur Wiedervereinigung erfolglos blieben, dann sei das der Beweis dafür, daß die deutsche Frage nicht isoliert gelöst werden könne. Wenn die Wiedervereinigung zum gegenwärtigen Zeitpunkt zu erreichen sei, werde man sie erreichen, wenn nicht, sei das Thema nur vertagt. Der Westen werde stärker, und es sei besser, aus einer Position der Stärke heraus zu verhandeln[170].

Dieses Interview, insbesondere Adenauers Hinweis, daß im Falle einer Wiedervereinigung die Verträge überprüft werden könnten, sorgte insbesondere in Paris für Aufregung. Tatsächlich ging es Adenauer in erster Linie darum, wie Kirkpatrick richtig erkannte, der SPD den „Wind aus den Segeln zu nehmen", was ihm auch gelungen war. Wäre der Brief vor diesem Interview veröffentlicht worden, wäre in der Öffentlichkeit wohl der Eindruck entstanden, Adenauer habe dem „Druck der SPD nachgegeben". Die SPD war außer sich über dieses Vorgehen Adenauers und zog ihr Gesprächsangebot zurück[171].

Wichtiger als dieses war aber die Tatsache, daß die SPD, wie es Kurt Klotzbach formuliert, „nun offensichtlich bereit war, unter Umständen auch eine Neutralisierung Gesamtdeutschlands hinzunehmen"; darin lag „die eigentliche Brisanz der sozialdemokratischen Kommentare"[172]. In seinen „Erinnerungen" nimmt Adenauer den Schumacher-Brief zum Anlaß, ausführlich die „Schwenkung" der SPD zu verurteilen und noch einmal die Grundprinzipien seiner Politik zu erläutern. Sein Fazit: „Wir konnten den Russen doch nicht trauen! Wir mußten wählen. Was die Russen wollten, war klar, sie wollten über die Neutralisierung Deutschlands schließlich dessen Einbeziehung in den sowjetischen Herrschaftsbereich. Was der Westen uns bot, war im Deutschlandvertrag und im Vertrag über die EVG festgehalten."[173] Genauso argumentierten im April/Mai 1952 auch die Westmächte, die gerade im Hinblick auf die deutsche Öffentlichkeit jetzt eine offensive Politik verfolgen wollten. Das amerikanische State Department legte am 16. April ein Strategiepapier vor, wie die sowjetische Note in der Propaganda behandelt werden sollte. Es ging darum, den Deutschen klarzumachen, daß die Westintegration der einzig richtige Weg für sie sei und daß der

Weg, den die Sowjets vorschlügen, für ganz Deutschland in Unfreiheit enden werde. Liest man dieses Dokument, wird man an Adenauers Memoiren erinnert, so sehr ähneln sich die Argumente. Was würde geschehen, so sollte u. a. gefragt werden, wenn das von den Sowjets vorgeschlagene vereinte, demokratische Deutschland geschaffen werde, von dem die Sowjetunion den Eindruck erwecke, ihr Angebot laufe auf ein unabhängiges, „neutrales" Deutschland hinaus. Entweder die sowjetische Zone bleibe weiter von sowjetischen Truppen besetzt, dann gebe es weder Unabhängigkeit noch Freiheit noch Neutralität, oder sämtliche Besatzungstruppen würden abgezogen – mit den sowjetischen Truppen dann an der Oder/Neiße-Grenze und den westlichen Truppen in unsicheren Brückenköpfen in Frankreich. Damit werde eine völlig neue Situation in Europa geschaffen, deren Auswirkungen auf die Politik der NATO-Länder, einschließlich der USA, zur Zeit schwer vorauszusehen seien. Ein solches Vakuum werde zu östlicher Aggression und Herrschaft geradezu herausfordern und weder Unabhängigkeit noch Neutralität ermöglichen. Die Schlußfolgerung daraus lautete, solange es keinen Sinneswandel bei den Sowjets gebe, „ist eine Neutralität Deutschlands unmöglich".

Angesichts der sowjetischen Drohung müsse es die Pflicht eines jeden deutschen Patrioten sein, jener Politik den Vorzug zu geben, die den (West-)Deutschen Schutz und Sicherheit bringe. Die Westintegration biete Deutschland nationale Integrität und Sicherheit, genau das, was die verantwortliche deutsche Führung zur Zeit suche. Die Integration Westeuropas unter Einschluß Deutschlands sei völlig vereinbar mit dem Ziel, die deutsche Einheit unter lebenswerten Bedingungen zu schaffen, d. h. Einheit in Freiheit, Stärke und Sicherheit. Die Schlußfolgerung daraus lautete: Man dürfe bei den Deutschen nicht den Eindruck erwecken, als ob sie vor der Wahl Integration oder Einheit stünden[174].

Im Foreign Office stimmte man dieser Direktive im Prinzip zu, auch wenn darin etwas zu dick aufgetragen worden sei. In einzelnen Punkten wollte man allerdings die Schwerpunkte anders setzen; so hielt man nichts davon, „die Tür zuzuschlagen". Man habe bisher sorgfältig vermieden, diesen Eindruck bei den Deutschen zu erwecken; denn zweifelsohne befürworte ein großer Teil der Deutschen Gespräche mit den Russen, um herauszufinden, „ob sie es ernst meinen". Noch ein Punkt schien gefährlich: In der

amerikanischen Direktive hatte es auch geheißen, die Bundesrepublik könne in der westeuropäischen Gemeinschaft die Führung übernehmen. Es sei zweifelhaft, so der Kommentar im
Foreign Office, ob dies im Hinblick auf die Franzosen betont
werden solle. Dies lag auf der Linie eines Telegramms der amerikanischen Botschaft in Paris, das noch etwas anderes deutlich
macht, daß nämlich die Franzosen an einer deutschen Einheit
überhaupt nicht interessiert waren[175].

Auch wenn trotz der „Offensivstrategie" die Situation für die
Westmächte schwieriger wurde, die öffentliche Meinung in
Frankreich und Deutschland unberechenbar, ja geradezu hyste-
risch war, wie Kirkpatrick nach London berichtete[176], an der
grundsätzlichen Position der Westmächte änderte sich dennoch
nichts. Bis zur Unterzeichnung von EVG- und Deutschlandvertrag wollte man weiter „auf Zeit spielen". Die Antwortnote war
als „Verzögerungsoperation" gedacht, sie sollte nach Meinung
Edens so abgefaßt sein, daß sie ihre Wirkung auf den „Mann auf
der Straße in der freien Welt" nicht verfehlte[177]. Die Tür für
Verhandlungen mit der Sowjetunion sollte dennoch nicht zugeschlagen werden, um nicht unerwartete Reaktionen zu provozie-
ren. Es sollte auch nicht, wie Schuman schon am 19. April formuliert hatte, der Eindruck entstehen, als ob der Westen vor Verhandlungen davonlaufe[178].

Acht Tage zuvor hatte der Präsident der französischen Republik gegenüber Antoine Pinay seine Einschätzung der Lage nach
der zweiten sowjetischen Note mitgeteilt und zum deutschen
Problem Stellung genommen. Vincent Auriol war davon überzeugt, daß Deutschland nie auf seine verlorenen Gebiete und auf
seine Grenzen von 1937 verzichten würde. Die deutschen Militärs
würden sich jeder Mittel bedienen, um die Auswirkungen ihrer
Niederlage zu beseitigen, entweder indem sie sich Rußland
zuwendeten oder – sollte sich das zerschlagen – den Westen in
einen Eroberungskrieg hineinzögen, den sie als Antwort auf die
Aggression ausgäben. Infolgedessen, so Auriol,

> „glaube ich wie Sie, daß wir keine rein negative Haltung einneh-
> men dürfen. Sollte es sich nur um Propaganda handeln, wie unsere
> amerikanischen Freunde manchmal behauptet haben, so wäre es
> geschickt, darauf mit einer konstruktiven Gegenpropaganda zu
> antworten, die der Gerechtigkeit genügen und die Völker aufklä-
> ren würde.

Aber ich glaube nicht, daß es sich nur um Propaganda handelt. Die Russen fürchten Deutschland, und auch sie haben Angst davor, daß Deutschland nur Allianzen eingehen will, um die Ostgebiete zurückzuerobern. Man muß also diese Angst ausnützen, ohne auf unsere Verteidigungsmittel zu verzichten. Deshalb glaube ich, muß man bekräftigen, daß – solange es keinen Friedensvertrag aller, die gegen Deutschland Krieg geführt haben, gibt – Frankreich die Organisation der europäischen Armee und die Konstituierung eines Europa mit Deutschland verfolgen wird, daß uns nichts von diesem Weg abbringen wird und daß es von den Russen abhängt, die europäische Organisation zu vergrößern, indem sie sich ihr anschließen.

Andererseits glaube ich, daß wir unsere Zustimmung zur Notwendigkeit freier Wahlen in Deutschland, zur Vorbereitung dieser Wahlen und zu den Mitteln, um deren Korrektheit zu überprüfen, stark betonen müssen. Aber die Vorbereitungs- und Kontrollkommission müßte nicht unbedingt die Kommission der Vereinten Nationen sein. Es könnten auch die vier „Großen" sein, denen man drei Mächte zur Seite stellt, die in gemeinsamer Übereinkunft ausgewählt werden.

Warum schlagen wir nicht bezüglich der deutschen Armee folgendes vor:

Gemäß allem, was schon entschieden worden war, wäre Deutschland entmilitarisiert und militärisch neutralisiert, und zwar mit folgenden Auflagen:

Truppen unter UNO-Kontrolle würden aufgestellt auf dem linken Rheinufer und entlang der Ostgrenze. Von diesen Truppen könnte Deutschland ein Kontingent hier und dort stellen, dessen Stärke gemeinsam festgelegt würde, um die militärische und politische Neutralität des Landes zu verteidigen. Amerikaner, einige Belgier, Luxemburger und Franzosen könnten sich mit einem deutschen Kontingent auf dem linken Rheinufer befinden und Russen, Tschechen, Norweger und Schweden auf der anderen Seite, ebenfalls mit einem deutschen Kontingent. So wäre die Neutralität der UNO-Kontrolle unterstellt und Deutschland wäre frei, im Rahmen der UNO Bündnisverträge zu schließen, es sei denn, daß die Russen sich nicht in Europa integrieren wollten, so wie man es wirtschaftlich und politisch organisiert.

Bezüglich der Grenzen möchte ich an die Potsdamer Konferenz erinnern. Es ist nicht zweifelhaft, daß – entgegen der sowjetischen Interpretation – die Alliierten in Potsdam sich nur verpflichtet haben, gewisse sowjetische Vorschläge zu unterstützen und sie die definitive Festlegung der Grenzen, vor allem der polnischen, auf die Friedenskonferenz vertagt haben. Man könnte ohne weiteres antworten: Die Friedenskonferenz wird prüfen, welche Verständigungsmöglichkeiten zwischen Deutschland und Rußland bzw. den anderen Völkern es im Hinblick auf die Gebiete gibt, um die Keime eines Konfliktes zu beseitigen, die der Irredentismus darstellen würde. Im übrigen würde mit der definitiven Organisation Europas nichts die Annexion von Territorien rechtfertigen.

Abschließend möchte ich bemerken: Wenn ich anrege, daß es andere Möglichkeiten zur Kontrolle der Wahl gäbe als die UNO-Kommission, dann sicher nicht, um die russischen Behauptungen zu verteidigen, nach denen der Artikel 107 die Intervention der UNO in den deutschen Angelegenheiten ausschließt. Der Artikel 107 setzt fest, daß die Charta eine gemeinsame Aktion der Regierungen gegenüber Deutschland nicht verbietet, aber er schließt auch keinesfalls eine UNO-Intervention zur Lösung des deutschen Problems aus.

In meiner Sicht handelte es sich nur um ein Zugeständnis, um ein Ergebnis zu erzielen. Hier also einige Anregungen."[178a]

Auriols Anregungen wurden von der französischen Regierung nicht aufgegriffen, der einmal eingeschlagene Weg nicht verlassen.

Jetzt wurde allerdings Washington aktiv. Nach amerikanischer Auffassung spielten die Sowjets ein falsches Spiel. Ihre Bereitschaft, irgendwelche Konzessionen zu machen, bleibe auch nach der zweiten Note „ein einziges Rätsel, und das ist offensichtlich auch ihre Absicht", wie der amerikanische Botschafter in Paris nach Washington berichtete[179]. Die Frage stellte sich, ob man jetzt nicht doch, gerade auch angesichts der wachsenden Unruhe in der westdeutschen Öffentlichkeit, versuchen sollte, wie es Philip C. Jessup am 11. April im State Department formulierte, „die Russen in der Frage, ob sie Wahlen in ihrer Zone zulassen werden, so schnell wie möglich zu einer Entscheidung zu zwingen"[180]. Offensichtlich war man jetzt an dem Punkt angelangt, wo man Gespräche nicht mehr weiter verhindern konnte. Acheson entschied am 29. April, den bereits in der Besprechung am 1. April angedeuteten Weg zu gehen: zwar keine Gespräche auf Außenministerebene, aber Gespräche zwischen den Hohen Kommissaren oder deren Stellvertretern. Auf keinen Fall sollte dadurch jedoch die Unterzeichnung der Verträge gefährdet werden. Die taktische Linie sah jetzt so aus: Mit Nachdruck sollte auf die Vorteile der Integrationspolitik verwiesen werden. Dabei sollte besonders darauf geachtet werden, diese Politik nicht so darzustellen, als ob sie von den drei Westmächten erfunden worden sei und diese jetzt auf ihrer Durchführung bestünden. Es sollte vielmehr betont werden, daß dies die Politik der Bundesrepublik und der übrigen europäischen Staaten sei, die die USA und Großbritannien *unterstützten*. Und dann kam der entscheidende Satz: „Ich glaube, dieser Punkt ist wichtig, da viele Deutsche zu der Meinung neigen, daß wir Deutschland *unseren* Willen aufzwingen." Da irgendwelche Gespräche wahrscheinlich notwendig seien, sei es jetzt wünschenswert, „die Initiative zu ergreifen und Gespräche vorzuschlagen, um die Deutschen davon zu überzeugen, daß wir es ernst meinen und keine Angst vor Gesprächen haben, aber auch um bestimmen zu können, auf welcher Ebene, worüber und wann verhandelt wird. Das Außenministerium ist in dieser Sache zunehmend zu der Überzeugung gelangt, daß wir viel zu gewinnen und nichts zu verlieren haben, wenn wir in unserer Antwortnote einen präzisen Gesprächsvorschlag machen." Auch wenn Acheson davon überzeugt war, daß es in diesen Gesprächen nur darum ginge, „die Unaufrichtigkeit der Sowjets zum frühest möglichen Zeitpunkt bloßzulegen", ist seine abschließende Begründung für diese Gespräche bis heute der entscheidende Streitpunkt geblieben, wenn über das „Nichtausloten" der sowjetischen Note und über die „wahren Absichten" der Sowjets diskutiert wird. Acheson wörtlich:

> „Wenn die Sowjets wirklich bereit sind, die Ostzone zu öffnen („to open eastern zone"), dann sollten wir sie zwingen [ihre Karten auf den Tisch zu legen]. Wir können *nicht* zulassen, daß unsere Pläne vereitelt werden lediglich aufgrund von *Spekulationen*, wonach die Sowjets möglicherweise bereit sind, tatsächlich einen hohen Preis zu zahlen."[181]

Hier war eine weitere Chance, genau das zu tun, was Schumacher am 22. April gefordert hatte: festzustellen, ob es eine Möglichkeit zur Wiedervereinigung Deutschlands in Freiheit gab, und in jedem Fall klarzustellen, daß die Bundesrepublik keine Anstrengungen gescheut hatte, um eine sich bietende Chance zur Wiedervereinigung Deutschlands und Befriedung Europas auszunützen. Wenn kein geringerer als der amerikanische Außenminister das Angebot machte – wenn auch nur aus taktischen Gründen –, dann bestand wohl für die Deutschen nicht die schon so oft zitierte Gefahr, sich „zwischen alle Stühle zu setzen", und auch nicht die Alternative: „Mit euch – oder mit euch". Und Adenauer? War er wieder „amerikanischer als die Amerikaner", wie ihm Jakob Kaiser schon im März vorgeworfen hatte?

Am Nachmittag des 2. Mai informierte McCloy ihn über den Vorschlag des State Department. Seine erste Reaktion war zunächst nicht ablehnend[182]. Die endgültige Entscheidung sah dann aber anders aus. Daß sie ihm nicht leicht fiel, macht die Tatsache deutlich, daß er noch den ganzen Tag und die halbe Nacht benötigte, um sie zu treffen. Dann gab er McCloy die Antwort: keine Verhandlungen!

McCloy kabelte am 3. Mai 1952 an Dean Acheson:

> „Der Kanzler sagte mir heute, nachdem er gestern noch den ganzen Tag und ‚die halbe Nacht‘ den amerikanischen Vorschlag für ein Treffen in Berlin mit allem Ernst geprüft habe, sei er definitiv zu dem Schluß gekommen, daß dieser Vorschlag zum gegenwärtigen Zeitpunkt ein Fehler sei. Wenn ein solches Treffen jetzt vorgeschlagen würde, dann bezweifelt der Kanzler, daß das Kabinett ihn zur Unterzeichnung der Verträge ermächtigt, bevor dieses Treffen nicht Klarheit gebracht hat, ob die Sowjets es mit ihrem Angebot freier Wahlen ernst meinen. Die Opposition bestünde seiner Meinung nach darauf, daß ein solches Treffen vor einer Vertragsunterzeichnung stattfindet, aber er befürchtet jetzt, daß sogar Mitglieder seiner Regierung die gleiche Haltung einnähmen. Er hält es auch für unklug, Viermächte-Gespräche auf das Thema freie Wahlen zu beschränken, da die Sowjets möglicherweise so viele Konzessionen machen, daß sehr lange Verhandlungen gerechtfertigt erscheinen, in deren Verlauf sich das öffentliche Interesse auf diese Zugeständnisse konzentriere und andere Punkte des sowjetischen Vorschlages, die abzulehnen seien, gar nicht mehr beachtet würden. Unter diesen Umständen wäre es dann unmöglich, die Verhandlungen zu einem definitiven Ende zu bringen.“[183]

Diese Ablehnung war eine historische Entscheidung, mit der Adenauer seine Politik schwer belastete. Nicht umsonst erwähnt er gerade dieses amerikanische Angebot mit keinem Wort in seinen „Erinnerungen“. Daß er sich der Tragweite der Entscheidung bewußt war, wird dennoch nirgends so deutlich wie bei dem Kapitel über die „Russische Notenoffensive“ in seinen „Erinnerungen“. Man denkt an Bismarck, wenn er schreibt: „In der Politik wird man wohl nie ideale Gegebenheiten vorfinden. Treten sie dennoch einmal ein, so sind es ganz große Augenblicke der Geschichte. Dann wiederum stellt sich aber die Frage: Sind auch Staatsmänner da, die diese Gegebenheiten erkennen, und werden dann ihre Völker ihnen folgen?“[184] Wollte Adenauer aus der Rückschau von 14 Jahren, nachdem auch für ihn das Scheitern seiner Politik erkennbar geworden war, andeuten, daß es sich im Frühjahr 1952 um einen jener ganz großen Augenblicke der Geschichte gehandelt hat – wie es ihn etwa im Frühjahr 1955 für Österreich gab – und daß das deutsche Volk nicht bereit oder „reif" war für eine andere Entscheidung? Gerade die Entschiedenheit, mit der Adenauer die selbstgestellte Frage beantwortet und seine Politik verteidigt, läßt wohl eine solche Deutung zu. Hätte Adenauer das amerikanische Angebot angenommen, hätten wohl auch Foreign Office und Quai d'Orsay zustimmen müssen, wo Achesons Vorschlag auf Widerspruch gestoßen war. Selbst McCloy war nicht besonders begeistert gewesen, und Kirkpatrick hatte wie Adenauer argumentiert: Die Parteien in der Bundesrepublik schlügen eine Hinhaltetaktik ein und zwängen so Adenauer, die Unterzeichnung zu verschieben. Damit würde der ganze Zeitplan über den Haufen geworfen[185]. Die Sowjets, so der stellvertretende französische Hohe Kommissar am 2. Mai, „werden den Vorschlag akzeptieren, und die Gespräche werden beginnen; einmal begonnen, ist es schwer, sie abzubrechen; die Zeit wird vergehen und das ganze Jetzt-oder-nie-Projekt der europäischen Integration wird scheitern". In jedem Fall würden Gespräche lediglich zwischen Vertretern der Hohen Kommissare die französische und deutsche Öffentlichkeit nicht davon überzeugen, daß die sowjetische Position ernsthaft und erschöpfend erkundet worden sei. Dann würden Gespräche auf einer höheren Ebene gefordert. Diese Gespräche könnten stattfinden, aber nicht zu früh. Erst müsse man in weiteren Noten „die sowjetische Unaufrichtigkeit bloßlegen und weitere Grundlagen für ein mögliches Zusammentreffen schaffen."[186]

Freie Wahlen, auf die sich die Hoffnung der Opposition richtete, waren nach der zweiten sowjetischen Note erst recht nicht mehr das entscheidende Thema. Selbst wenn man einmal unterstellt, daß es bei solchen Wahlen in der DDR zu massiver Wahlbeeinflussung gekommen wäre, daß alle Ostdeutschen für die SED gestimmt hätten, in der gesamtdeutschen Nationalversammlung wären die Kommunisten dennoch in einer hoffnungslosen Minderheit geblieben. Es ging jetzt auch nicht mehr darum, etwa festzustellen, ob das sowjetische Angebot Deutschland die Mitarbeit am Schuman-Plan ermöglichte. Für Adenauer stand zwar von vornherein fest, daß dies nicht möglich sein würde, die konkrete Frage ist aber bemerkenswerterweise nicht an die sowjetische Regierung gestellt worden. Im britischen Entwurf für die Antwortnote tauchte sie zwar am 21. April noch auf, aber nicht mehr in der Note am 13. Mai. Die Gründe hierfür sind offensichtlich. Es ging um mehr, wie der französische Außenminister am 6. Mai in einem persönlichen Schreiben an seinen britischen Kollegen deutlich machte. Wie schon so oft in ihrer Geschichte, so Schuman, sähen sich die Deutschen mit dem Problem ihrer Einheit konfrontiert, von dem sie geradezu besessen seien. Die Russen hätten dies jetzt geschickt ausgenutzt und ein verlockendes Angebot gemacht. Das russische Manöver sei erfolgreicher als befürchtet, wie die Verwirrung zeige, die überall herrsche. Man habe sich offensichtlich zu sehr auf die unbestrittene Integrität und die persönliche Autorität Adenauers verlassen. Beides habe nicht ausgereicht, den Ausbruch von Meinungsverschiedenheiten in dessen eigener Partei und in der Koalitionsregierung zu verhindern. Die Deutschen wüßten nicht, welchen Weg sie gehen sollten:

> „Der Moment ist gekommen, wo sich die Deutschen endlich darüber klar werden müssen, daß die Einheit, die man ihnen anbietet, eine große Unbekannte enthält und sichere Knechtschaft mit sich bringt.
> Der russische Verführer hat die ganze Aufmerksamkeit auf freie gesamtdeutsche Wahlen zu konzentrieren gewußt. Sicherlich ist dieses Problem wichtig; aber seine Lösung ist absolut nicht unüberwindlich, und ich vermute, daß die Russen alles daran setzen werden, sie durchzuführen, wenn sie um diesen Preis die Schaffung einer deutschen Zentralregierung erreichen, was das Ende der Bundesregierung, des Feindes Nr. 1, bedeutet.
> Wie können wir dem entgegenwirken? Mit Spitzfindigkeiten, die die Wahlen unmöglich machen? Wir würden dieses Spiel bei den Deutschen verlieren. Übrigens liegt das eigentliche Problem gar nicht da.
> Wichtig ist weniger das Verfahren, wie die Einheit herzustellen ist, als vielmehr, diese Einheit selbst zu definieren. Selbst die fanatischsten und die am meisten von der Einheit begeisterten Deutschen werden anerkennen müssen, daß Einheit nicht alles ist, daß eine Einheit in Unfreiheit, d. h. einer wie auch immer gearteten russischen Kontrolle unterworfen, zwar für Ostdeutschland vielleicht vorübergehend Erleichterungen brächte, für Gesamtdeutschland aber ein großer Schritt zurück und eine erneute Kapitulation bedeuten würde.
> Es ist diese Wahrheit, die man vor aller Augen deutlich und klar herausstellen muß. Wir müssen die Russen dahin bringen, daß sie selbst die Demonstration dieses Punktes übernehmen. Die Präzi-

sierungen, die wir verlangen werden, werden ihrem Schweigen ein Ende setzen, das bisher ihre Widersprüche überdeckt hat. Man muß endlich wissen, unter welchem Regime ein vereinigtes Deutschland leben würde, vereinigt, aber von den vier Mächten besetzt, und dem ein Friedensvertrag und jede vertragliche Übereinkunft vorenthalten bleibt.

Eine Zentralregierung zu errichten, ohne ihr vorher ein Minimum an Handlungsfreiheit zu sichern, würde bedeuten, Deutschland den sowjetischen Manövern und der Lähmung auszuliefern. Wir haben das verstanden, Deutschland wird das auch verstehen, wenn wir es zu sagen und zu verbreiten wissen.

Wenn wir diese Fragen mit Nachdruck stellen, werden wir im deutschen wie auch in unserem Interesse handeln. Wir werden sie auf ihr wirkliches Terrain ausdehnen, dorthin, wo sich die Schwäche des Gegners befindet. Wir werden vollkommen aufdecken, daß nicht alles, was glänzt und was so gerne für Gold gehalten wird, auch wirklich Gold ist. Die wahren Absichten aller Parteien werden offengelegt werden. Zur gleichen Zeit werden unsere Beziehungen zu Deutschland auf eine gesunde Grundlage gestellt. Es wird uns gelingen, die vorherrschende Zurückhaltung zu beseitigen und Mißtrauen auszuräumen. Wir werden nicht mehr die Haltung jener einnehmen, die aus taktischen Gründen die Einheit verlangen, aber gleichzeitig wünschen, daß es nicht dazu kommen wird. In der Vergangenheit hat es so ausgesehen, als ob unsere egoistischen Sorgen die ehrliche Suche nach gemeinsamen Zielen verhindern würden. Zum anderen werden wir aufhören, uns bei diesem Wettbewerb gefährlich überbieten zu lassen, bei dem ad infinitum gefeilscht und die Sache vielleicht auch wieder aufgeschoben wird und bei dem es Deutschland darauf anlegt, uns viel zu teuer zahlen zu lassen.

Deutschland wird die ganze Last seiner eigenen Verantwortung spüren müssen. Es wird nicht zu wählen haben zwischen Westintegration und Einheit, was eine unerträgliche Situation für Deutschland wäre, sondern zwischen einer Einheit mit Garantien, so wie wir sie angeboten haben, und einer Einheit unter Viermächte-Kontrolle.

Kurz, man muß Deutschland davon überzeugen, daß es sein wahres Interesse ist, an unserer Seite zu stehen, selbst in der Suche nach seiner Einheit."

Seiner Meinung nach bestand die größte Gefahr darin, daß die Deutschen versucht sein könnten, die Einheit um jeden Preis zu suchen. Das Schlagwort des Westens dürfe daher nicht lediglich „freie Wahlen" lauten, sondern „freie Wahlen für ein freies Deutschland"[187]. Den Deutschen, so betonte Crouy-Chanel am

7. Mai gegenüber dem amerikanischen Botschafter in London, müsse klargemacht werden, daß „Einheit in Freiheit" nur mit Hilfe des Westens zu erreichen sei: Die Sowjets hätten sich bislang geweigert, etwas über die Stellung einer gesamtdeutschen Regierung vor Abschluß eines Friedensvertrages zu sagen, man müsse sie jetzt dazu zwingen, in dieser Frage Farbe zu bekennen[188].

Wäre ein neutralisiertes Gesamtdeutschland kommunistisch geworden und/oder unter sowjetische Kontrolle geraten? Adenauer hat damals und in der Rückschau diese Frage mit einem klaren „Ja" beantwortet. Noch in seinen „Erinnerungen" stellte er kategorisch fest: „Neutralisierung heißt Sowjetisierung"[189]. Man kann davon ausgehen, daß Stalin zumindest darauf gehofft hat. Im Westen ist öffentlich immer vor einer solchen Entwicklung gewarnt worden. Tatsache aber ist, daß auch schon damals geheime Analysen anders aussahen. In einem Geheimbericht des State Department vom 14. Mai 1952 war z. B. die Frage untersucht worden, was wohl in (West-)Deutschland, Westeuropa und der Sowjetunion geschähe, wenn der Westen ein *Bona-fide*-Angebot (das vorliegende wurde nicht als solches bezeichnet) der Sowjets zur Bildung eines wiedervereinigten, neutralisierten – und begrenzt bewaffneten – Deutschland (ohne die Gebiete östlich der Oder/Neiße) ablehnen bzw. akzeptieren würde. Die Antwort ist aufschlußreich: Bei Annahme eines solchen Angebotes wurde keinesfalls ein kommunistisches Deutschland erwartet, sondern eine „gemäßigte und demokratische gesamtdeutsche Regierung", die, obwohl „einigermaßen pro-westlich orientiert, im Kern eine neutrale Außenpolitik" treiben werde. Selbst bei einer Verschlechterung der Wirtschaftslage wurde nicht mit der Möglichkeit eines kommunistischen, sondern eines rechtsgerichteten, autoritären Regimes gerechnet, das zwar eine opportunistische Außenpolitik treiben werde, aber dies „wird nicht dazu führen, daß man sich der Kontrolle des Kreml unterwirft". Bei Bildung eines neutralisierten Gesamtdeutschland wurden allerdings weitreichende Konsequenzen für Westeuropa befürchtet: Dort würde diese Entwicklung als Anzeichen einer Ost-West-Entspannung interpretiert, und die Entschlossenheit zu stärkerer militärischer Aufrüstung ließe daher, so wurde vermutet, in den meisten Ländern nach, mit Ausnahme Frankreichs, das aufrüsten würde, um mit Deutschland Schritt zu halten, während der Kreml den Kalten Krieg fortsetzen und verstärkte Anstrengungen unternehmen würde, Deutschland zu unterwandern oder zu „verführen". Auf der anderen Seite wurde bei der Ablehnung eines solchen Angebotes mit schwerwiegenden Reaktionen in der westdeutschen Bevölkerung gerechnet: Sie werde so verbittert sein, daß es für jede westdeutsche Regierung praktisch unmöglich werde, die bisherige Politik der Wiederbewaffnung und „unification-Westward" fortzusetzen. Selbst in Frankreich wurde, trotz der dort besonders ausgeprägten Furcht vor einem vereinten Deutschland, mit einem Anwachsen der neutralistischen und antiamerikanischen Bewegung gerechnet, mit der Konsequenz, daß sich die Erfolgsaussichten für eine wirksame Aufrüstung Westeuropas verringern würden[190]. Es bedurfte noch harter Arbeit und großer Formulierungskünste, bis sich das westliche Redaktionskomitee in London auf die Antwortnote einigte, die dann am 13. Mai in Moskau überreicht wurde[191]. Sie lief darauf hinaus, eine Konferenz noch monatelang zu verzögern und dann auf die Fragen der Wahl und der Regierungsbildung zu beschränken: „Die Sowjets sollten die DDR preisgeben, ohne zu wissen, welche Friedensbedingungen sie dem wiederhergestellten Gesamtdeutschland im Interesse ihrer Sicherheit würden auferlegen können."[192] Die *eigentliche* Antwort des Westens war denn auch die Unterzeichnung des „Deutschlandvertrages" am 26. Mai in Bonn und des EVG-Vertrages am nächsten Tag in Paris.

Die Unterzeichnung in Bonn fand im gleichen Saal statt, in dem drei Jahre zuvor das Grundgesetz verabschiedet worden war. Acheson war zunächst gegen Bonn als Unterzeichnungsort, da er befürchtete, daß dies später von nationalistischen Kräften in Deutschland ausgenutzt werden könne. Er war für Straßburg und lediglich bereit gewesen, anschließend einen oder zwei Tage nach Bonn zu kommen, falls Adenauer damit „die bittere Pille versüßt" werde. Dann hatte er Den Haag vorgeschlagen als „idealen Ort, der so herausragend mit den Idealen des Friedens verbunden ist und in dem es den Friedenspalast gibt". Schließlich hatte er zugestimmt, in Bonn zu unterschreiben. Bonn war auch der Wunsch Adenauers; er wurde darin von den Briten unterstützt, die durch eine solche Zeremonie in Bonn, „das etwas von diesem Glanz bitter nötig hat", Adenauer die Möglichkeit verschaffen wollten, etwas für sein Prestige zu tun[193].

Adenauer empfand die Unterzeichnung der Verträge „als Krönung seiner politischen Arbeit, er freute sich auf den Tag des Abschlusses, er wollte ihn festlich begehen, und als Fest- und

Feiertage sollten die Daten der Unterzeichnung in Bonn und Paris auch im Gedächtnis der Völker bestehenbleiben".[194] Wie Baring berichtet, gewann Staatssekretär Lenz Adenauer für den Gedanken, den Akt mit einem Fackelzug feiern zu lassen, da dies im Zeitalter der Massenpsychologie unentbehrlich sei. Innenminister Lehr bat die Landesregierungen, die öffentlichen Gebäude zu beflaggen, schulfrei zu geben und die Kinder auf die Bedeutung der Verträge hinzuweisen[195].

Dies war denn doch zu viel, und aus alledem wurde nichts. Schumachers Urteil stand fest: „Man kann die deutsche Einheit nicht auf militärische Drohungen abstellen. Das zeigt, daß man sie gar nicht will [. . .] Wer diesem Generalvertrag zustimmt, hört auf, ein guter Deutscher zu sein."[196]

Wie sollte man über einen Vertrag jubilieren, dessen Inhalt nicht einmal genau bekannt war; der Hinweis des SPD-Abgeordneten Adolf Arndt im Bundestag, schon einmal habe ein Fackelzug damit geendet, daß ganz Deutschland brannte, tat ein übriges[197].

Am gleichen Tag, als in Bonn der „Deutschlandvertrag" unterzeichnet wurde, kündigte die DDR-Regierung die Abriegelung der „Zonengrenze" an. Von nun an gab es eine fünf Kilometer breite Sperrzone und einen zehn Meter breiten Kontrollstreifen, der für viele zum Todesstreifen wurde. Nichts konnte die Spaltung des Landes besser dokumentieren.

Wenige Wochen später, auf der 2. Partei-Konferenz der SED vom 9. bis 12. Juli 1952, gab es eine weitere Zäsur. Offensichtlich war es das, was die amerikanische Hohe Kommission Anfang Juni vorausgesagt hatte, daß nämlich die Sowjetunion nunmehr ihren Zugriff auf die DDR verschärfen und sie in einen totalen Satellitenstaat verwandeln werde. Möglicherweise wollte aber auch die SED Entwicklungen präjudizieren, um zukünftigen Überlegungen über die Einheit Deutschlands von vornherein die Grundlage zu entziehen. Es muß offenbleiben, inwieweit Hinweise zutreffen, daß das, was die SED jetzt proklamierte, nämlich den „Aufbau der Grundlagen des Sozialismus", bis zum Abschluß der Westverträge noch kein Thema für die Parteikonferenz gewesen war. SED-Generalsekretär Walter Ulbricht verkündete jetzt jedenfalls:

> „Die demokratische und wirtschaftliche Entwicklung sowie das Bewußtsein der Arbeiterklasse und der Mehrheit der Werktätigen

sind jetzt soweit entwickelt, daß der Aufbau des Sozialismus zur grundlegenden Aufgabe geworden ist."[198]

Damit wurde die zweite Phase des revolutionären Umwandlungsprozesses angekündigt, und das hieß: völlige Zentralisierung der Verwaltung, strikte Unterordnung des Staatsapparates unter die Befehlsgewalt der SED, Umgestaltung der Justiz, Aufbau nationaler Streitkräfte, volle Verstaatlichung der Industrie und Teilkollektivierung der Landwirtschaft.

8. Das Ende der „Notenschlacht": mit Adenauers Hilfe ein Sieg der Westmächte

Am 24. Mai überreichte die sowjetische Regierung ihre Antwort[199] auf die westliche Note vom 13. Mai. Offensichtlich hatte der Kreml die westliche Politik der vollendeten Tatsachen zunächst zur Kenntnis genommen. Schon im Ton unterschied sich die Note von den ersten beiden erheblich, die Wortwahl erinnerte an altbekannte sowjetische Propaganda, der Hinweis auf die Viermächte-Verantwortung gemäß Potsdamer Abkommen war auch für die Kritiker Adenauers nicht besonders verlockend. Es war eine Note „fünf Minuten vor 12", d. h. vor Unterzeichnung der Westverträge zusammengeschrieben, wie der britische Botschafter in Moskau es formulierte[200]. Sein amerikanischer Kollege Kennan wurde noch deutlicher: „Dies ist nicht die authentische, knappe, entschlossene, drohende Stimme von Stalins Kreml, wenn er auf Hochtouren läuft und ein wichtiges Ziel verfolgt"; es sehe im Gegenteil so aus, als ob dieses außergewöhnlich schwache Opus das Werk von untergeordneten „Schreiberlingen" sei und von keinem Spitzenfunktionär mehr redigiert worden sei[201].

Diese Note konnte Adenauer nach Meinung Achesons nicht gefährlich werden[202], im Gegenteil, sie erleichterte ihm das Festhalten am bisherigen Kurs. In Bonn war die Reaktion nahezu einhellig. Heinrich Krone bezeichnete die Note als „äußerst plump," da damit der SPD und dem DGB die letzten Argumente gegen Adenauers Politik aus der Hand genommen würden. Für den Vorsitzenden der FDP-Bundestagsfraktion, Schäfer, war sie der endgültige Beweis dafür, daß die Sowjets es nicht ehrlich meinten. Der Westen solle jetzt mit Nachdruck die Sowjetunion für die fortdauernde Teilung Deutschlands verantwortlich machen. Gespräche sollten, wenn überhaupt, erst nach der Ratifizierung geführt werden. Mühlenfeld (Deutsche Partei) war für eine schnelle Antwort, um, wie McCloy nach Washington berichtete, „die Sowjets zu demaskieren und der SPD ein möglicherweise gewichtiges Argument aus der Hand zu schlagen"[203].

Ähnlich äußerte sich Kraus (?) von der CSU, während Adenauer in einem Rundfunkinterview am 28. Mai wieder für Viermächte-Gespräche plädierte, falls sie Erfolg versprächen. Dies wurde von Reber als das abgetan, was es wohl auch war: „Lippenbekenntnis". Lediglich Jakob Kaiser, den McCloy als Sprecher einer sehr kleinen „blauäugigen Minderheit" in der CDU bezeichnete, äußerte gegenüber dem amerikanischen Hohen Kommissar, die Situation habe sich nicht geändert, die Tür für Verhandlungen sei nach wie vor offen, während Thedieck, Kaisers Staatssekretär, der die Dinge realistischer sehe, ihm versicherte, dies könne nur noch die Hoffnung ganz extremer Optimisten sein; er halte die Note für sehr ungeschickt, die Sowjets seien dabei schlecht beraten gewesen: „Zurück nach Potsdam ist zu wenig". Ähnlich lautete auch das Urteil des Rußlandexperten im Auswärtigen Amt, Hans von Herwarth. Für ihn war die Note das Schlechteste, was er jemals gelesen hatte, sie sei außerordentlich nützlich für Adenauer; er bezweifelte, ob Stalin sie überhaupt gesehen habe. Sein Fazit: Der Kreml habe jetzt offensichtlich eingesehen, daß die erste Note zu spät gekommen sei und zu wenig geboten habe, um die Deutschen für sich zu gewinnen[204]. Der Westen hatte, wie Außenminister Eden am 28. Mai in Paris gegenüber Acheson und Schuman befriedigt feststellte, die „Notenschlacht" gegen die Sowjets erst einmal gewonnen[205].

Interessant ist in diesem Zusammenhang – und insbesondere auch im Hinblick auf die Note vom 10. März – eine abschließende Analyse der amerikanischen Hohen Kommission in Bonn vom 2. Juni: Dort neigte man demnach zu der Meinung, daß die erste sowjetische Note ernst gemeint gewesen sei und die Bedingungen für einen Friedensvertrag enthalten habe. Gerade die harten Bedingungen hätten der Note den realistischen Ton verliehen, so als ob die Sowjets sagen wollten: „Ihr könnt annehmen oder ablehnen". Der Kreml habe mit dieser Note unmißverständlich klargemacht, auf welcher Grundlage er bereit sei, mit dem Westen zu einer Übereinkunft in der deutschen Frage zu kommen. Obwohl diese Bedingungen für den Westen offensichtlich unannehmbar gewesen seien, könne der Kreml darauf spekuliert haben, damit die Bevölkerung in der Bundesrepublik zu verwirren und „unseren großen Plan für Europa zu zerstören". Das hätten die Sowjets nicht erreicht. Aber es bleibe abzuwarten, welche Manöver sie als nächstes unternehmen würden. Wichtiger sei jedenfalls an diesem Wendepunkt, daß die Sowjets offensichtlich beschlossen hätten, den Zugriff auf die Ostzone zu verschärfen und sie in einen völligen Satelliten zu verwandeln, mit dem Ergebnis, daß sich die Ost-West-Spannungen eher verschärfen als verringern würden. Aber – „und dies ist ein wichtiges Aber" – bei allem, was der Kreml mache, sei er darum bemüht, den Eindruck zu erwecken, als ob die Tür für Verhandlungen zur Lösung der deutschen Frage weiter offen sei: Nach Meinung der Hohen Kommission war dies das Entscheidende bei der Interpretation der letzten sowjetischen Note, die mehr als nur Propaganda gewesen sei. Die Sowjets hätten damit auch dokumentieren wollen, daß sie es seien, die eine Lösung der deutschen Frage wollten. Auch wenn es so aussehe, als ob man einen Sieg errungen habe, müsse der Westen nach wie vor wachsam bleiben, da man nicht davon ausgehen könne, daß der Kreml jetzt ernüchtert und nicht mehr zu verzweifelten Aktionen fähig sei, so wie jemand, der sich einbilde, seine Feinde würden ihn langsam in die Ecke drängen. Bei der Beantwortung der Note dürfe daher 1. nicht der Eindruck erweckt werden, als ob der Westen die Tür für Verhandlungen zugeschlagen habe, und 2. müsse der entscheidende Punkt betont werden, daß nämlich „wir es sind, die nach einer friedlichen Lösung der deutschen Frage suchen"[206].

Bemerkenswert ist, daß die Westmächte sieben Wochen für die Beantwortung der sowjetischen Note benötigten. Was waren die Gründe für diese Verzögerung, die zu der grotesken Situation führte, daß die westliche Antwort erst überreicht wurde, nachdem der US-Senat die Westverträge bereits ratifiziert hatte?

Auch wenn der Westen die Notenschlacht gewonnen hatte: man war sich im klaren darüber, daß die Sowjetunion nun alles daransetzen werde, die Ratifizierung der Verträge zu verhindern. Man einigte sich daher, den Briefwechsel mit den Sowjets fortzusetzen, auf die in der Antwortnote bereits am 13. Mai gemachten Vorschläge (Punkte II–IV, unabhängige Kommission) hinzuweisen und sich zu einem Treffen auf relativ niedriger Ebene nach Eingang der sowjetischen Note bereit zu erklären. Diesmal sollte das State Department einen ersten Entwurf ausarbeiten.

Dieser Entwurf lag zwar schon wenige Tage später vor, aber nun ging Außenminister Schuman einen entscheidenden Schritt weiter. Er wollte die Sowjetunion ohne weitere Verzögerung zu einer Viererkonferenz zunächst auf Botschafter-, dann auf Außenministerebene einladen, ohne den Bericht der Kommission über die Bedingungen zur Abhaltung von Wahlen in Deutschland abzuwarten, wobei man sich über die Zusammensetzung dieser Kommission ja auch noch erst hätte einigen müssen. Zuletzt sollten auf dieser Konferenz die Bedingungen für die alsbaldige Abhaltung freier Wahlen in ganz Deutschland geprüft werden. Außerdem sollte ein „Statut" für Gesamtdeutschland erarbeitet werden, das die Handlungsfreiheit einer auf der Grundlage freier Wahlen gebildeten gesamtdeutschen Regierung bis zum Abschluß eines Friedensvertrages garantieren und die Rückkehr zu einer Viermächtekontrolle verhindern sollte. Darüber hinaus, so hieß es in sehr allgemeiner Form, sollten die mit der Wiedervereinigung und einem Friedensvertrag zusammenhängenden Probleme erörtert werden. Die Sowjets, so Schuman zum britischen Botschafter, seien „am Ende mit ihrem Latein", jetzt sei die Gelegenheit, sie „völlig in die Enge zu treiben"[207].

Der amerikanische Botschafter in Paris, Dunn, nannte vier Gründe für Schumans überraschenden Vorstoß:

1. Das Unbehagen der Franzosen an einer Fortsetzung der westdeutschen Wiederbewaffnung. Dies führe dazu, daß sie ständig nach Strohhalmen suchten, um sich mit den Russen zu arrangieren.
2. Die Forderung des MRP-Parteitages und von Radikalen nach Verhandlungen.
3. Schumans Überzeugung, daß durch die Unterzeichnung von EVG- und Deutschlandvertrag die Position des Westens gestärkt worden sei, und
4. seine Überzeugung, daß nach einem erneuten Fehlschlag von Viermächtegesprächen die Ratifizierung der Verträge in Frankreich eher akzeptiert werde[208].

Die französische Initiative führte in Washington zu erheblichen Irritationen, und es bedurfte großer Anstrengung, Schuman von seinem Vorhaben wieder abzubringen, wobei es auch darum ging, wie Philip Jessup gegenüber Acheson betonte, „den Eindruck, daß es zu einem Bruch [zwischen den Westmächten, R.S.] gekommen sei, auf ein Minimum zu reduzieren, da ein solcher Eindruck nur den Sowjets zugutekommen würde."[209]

Auch Eden hatte sich inzwischen Gedanken über die weitere Taktik gemacht, auch er befürwortete jetzt ein Treffen mit den Sowjets, das man nach Unterzeichnung des EVG-Vertrages nicht mehr zu fürchten brauche. Ein solches Treffen würde seiner Meinung nach die Aussichten für eine Ratifizierung der Verträge besonders in Frankreich und der Bundesrepublik nur verbessern. Allerdings machte er eine entscheidende Einschränkung: Eine solche Konferenz dürfe nicht über einen Friedensvertrag beraten, sondern müsse auf die Diskussion der am 13. Mai gemachten Vorschläge beschränkt bleiben. Acheson intervenierte massiv: Eine solche Einladung würde von den Russen nur als Schwäche ausgelegt. In Deutschland bestehe überhaupt kein Verlangen nach einer solchen Konferenz, die Öffentlichkeit würde eher verwirrt als bestärkt im Hinblick auf die westliche Politik. Obwohl Paris inzwischen den britischen Vorschlag akzeptiert hatte, daß über einen Friedensvertrag nicht beraten werden könne, blieb Acheson bei seiner ablehnenden Haltung: Die Senatoren würden verwirrt und bis zum Abschluß solcher Viermächte-Verhandlungen die Verträge nicht ratifizieren. Adenauer sei ebenfalls gegen Viermächte-Gespräche. Die französische Haltung diene niemandem, „mit Ausnahme unserer Feinde". Es müsse um jene Fragen gehen, die die Russen bisher nicht beantwortet hätten. Der Westen solle daher mit Nachdruck auf seinen Bedingungen für die Durchführung freier Wahlen bestehen. Achesons Sorge galt in erster Linie Adenauer. Der Kanzler, so betonte er am 19. Juni gegenüber dem britischen Botschafter, „hat uns um Hilfe gebeten, um Zeit für die Ratifizierung zu gewinnen; wenn wir ihn im Stich lassen und es zu einer ernsthaften Verzögerung bei der Ratifizierung kommt oder sie möglicherweise sogar scheitert, hätten wir unsere Arbeit der letzten 18 Monate zunichte gemacht. Dies ist ein Risiko, das wir nicht eingehen können."[210]

Es waren wiederum die Briten, die diesmal gemeinsam mit dem amerikanischen Botschafter in London einen Kompromiß fanden, der nach mühsamen Auseinandersetzungen schließlich von allen Seiten akzeptiert wurde. Am schwierigsten war es dabei, die Wünsche Adenauers zu befriedigen. Mit der Unterzeichnung der Westverträge hatte sich für ihn die Situation grundlegend geändert. Auch wenn die Verträge noch nicht ratifiziert waren, sah sich Adenauer jetzt bereits als gleichberechtigten Partner des Westens, der gestaltend auf deren Politik einwirkte. Die Zeiten, in denen er lediglich informiert worden war und in denen er den Hochkommissaren unverbindliche Empfehlungen mit auf den Weg gegeben hatte, waren vorbei. In seinen „Erinnerungen" geht Adenauer ausführlich auf die „harten Auseinandersetzungen" mit den Hohen Kommissaren ein[211]. Er trat jetzt als Fordernder auf und unterbreitete Änderungsvorschläge. Am Abend des 2. Juli ließ Hallstein sogar Mitglieder der Hohen Kommission zu sich kommen, um ihnen eine entsprechende Note zu übergeben – bisher war es immer umgekehrt gewesen. Bei der Ablehnung von Viermächte-Verhandlungen wurden Adenauer und McCloy zu Verbündeten – gegen die französischen Vorstellungen. Als Adenauer am 25. Juni über den Inhalt der beabsichtigten Antwort auf die sowjetische Note – wonach Gespräche nicht ausgeschlossen waren – unterrichtet wurde, reagierte er schroff. Die Unterhaltung verlief „ziemlich schlecht". Er lehnte jedes Gespräch mit den Sowjets vor Ratifizierung der Verträge ab und forderte eine unmißverständliche, harte Antwort[212]. Mit Nachdruck betonte er, er sei nicht sehr beeindruckt von der Theorie, wonach eine weitere Viererkonferenz notwendig sei, um die Öffentlichkeit von den wahren Absichten der Sowjets zu überzeugen. Jene, die noch nicht überzeugt seien, würden dies auch nicht durch eine weitere ergebnislose Konferenz. Die Mehrheit im Bundestag und in der Bevölkerung brauche eine solche Demonstration nicht, möglicherweise brauche man sie aber in Frankreich. Und dann kam ein besonders merkwürdiges Argument: Die Flüchtlinge, die in den letzten Wochen in den Westen gekommen seien, hätten sich im übrigen gegen eine weitere Konferenz mit den Russen ausgesprochen; auch sie hielten eine solche Konferenz für völlig überflüssig[213].

Auf britischer Seite sah man dies anders. Man wollte die Tür für Gespräche mit den Sowjets nicht zuschlagen, zumal man davon überzeugt war, daß Adenauers Ansichten „mit ziemlicher Sicherheit nicht von der Mehrheit der Deutschen geteilt werden". Sollte es, entgegen allen Erwartungen, zu Vierergesprächen kommen, wollte man allerdings Adenauer gegenüber die Versicherung abgeben, daß es „auf gar keinen Fall zu einer geheimen Regelung mit den Sowjets hinter dem Rücken der Deutschen kommen werde"[214]. Genau dies war es, was Adenauer befürchtete, daß nämlich die vier Mächte einen Friedensvertrag ausarbeiten und diesen dann einer gesamtdeutschen Regierung präsentieren würden. Dies stand seiner Meinung nach im direkten Gegensatz zu Artikel 7 des Deutschlandvertrages, in dem festgelegt war, daß die Bundesrepublik und die drei Mächte sich darüber einig waren, „daß ein wesentliches Ziel ihrer *gemeinsamen* Politik eine zwischen Deutschland und seinen ehemaligen Gegnern frei vereinbarte friedensvertragliche Regelung für ganz Deutschland" sein sollte[215]. Am 2. Juli ließ Adenauer den Hohen Kommissaren seine Änderungsvorschläge für die Antwortnote überreichen[216], die der stellvertretende britische Hohe Kommissar Ward als „typisch spitzfindig und voller Mißtrauen" bezeichnete. Am 3. Juli kam es daraufhin zu einer vierstündigen „harten Auseinandersetzung" mit den Hohen Kommissaren. Deren Versuch, Adenauers Mißtrauen zu zerstreuen, mißlang gründlich, denn, so berichtete Ward nach London, „ihn kann natürlich überhaupt nichts befriedigen, es sei denn, wir änderten unseren Kurs radikal – das aber kommt überhaupt nicht in Frage", zumal das französische Kabinett den Entwurf der Antwortnote bereits gebilligt hatte. Aber, so Ward in seiner abschließenden Wertung, „auch wenn seine Haltung zum Verrücktwerden ist, es liegt in unserem Interesse, daß er diesmal nicht sein Gesicht verliert[217]". Noch am selben Tag überreichte Adenauer ein Aide-mémoire, in dem er seine Änderungswünsche präzisierte, und in einem Begleitschreiben an McCloy machte er deutlich, worum es ihm ging[218].

Adenauers Mißtrauen war in diesem Fall unbegründet; die Westalliierten hatten in der Tat nicht die Absicht, das vom Kanzler befürchtete Doppelspiel zu treiben. Briten und Amerikaner hielten es daher für möglich und wünschenswert, ihm die gewünschten Zusicherungen zu geben. Die Franzosen stimmten auch diesmal nur widerwillig zu. Als Adenauer dann noch den Wunsch äußerte, die Note auf keinen Fall vor der ersten Lesung der Westverträge im Bundestag am 9. und 10. Juli in Moskau zu überreichen, war die Geduld der Franzosen am Ende. François-Poncet war der Meinung, es sei Zeit für die Alliierten, Adenauer in dieser Sache eine eindeutige Lektion zu erteilen und nicht weiter auf ihn Rücksicht zu nehmen[219].

Paris lehnte jedes weitere Treffen mit Adenauer ab. Man wollte sich nicht dem Vorwurf in der französischen Öffentlichkeit aussetzen, zum „Lakaien" Adenauers geworden zu sein[220]. Briten und Amerikaner erfüllten dennoch Adenauers Wunsch – ohne die Franzosen davon vorab in Kenntnis zu setzen. Am Vorabend der Bundestagsdebatte übergaben sie Adenauer den endgültigen Text der Note, die jetzt seinen Wünschen entsprach. Adenauer war, so berichtete Ward nach London, „offensichtlich sehr erfreut über unsere Bemühungen, ihm entgegenzukommen"[221].

Die Formel, auf die man sich geeinigt hatte, sah jetzt so aus, daß „bald eine Konferenz von Vertretern der vier Regierungen stattfinden sollte, vorausgesetzt, es besteht Übereinstimmung darüber, daß alle vier Regierungen freie Wahlen in ganz Deutschland, im Sinne des Absatzes 4 der vorliegenden Note, und die Teilnahme einer freien deutschen Regierung an den Verhandlungen über einen deutschen Friedensvertrag wünschen". Absatz 4 ging auf den Kern der Sache ein: Freie Wahlen könnten nur abgehalten werden, wenn die erforderlichen Vorbedingungen in ganz Deutschland gegeben seien[222]. Mit dieser Formulierung hatte man es in der Hand, selbst zu bestimmen, ob die Sowjetunion diese Vorbedingungen erfülle, wenn ja, würde es nur um Zusammensetzung und Funktion der Untersuchungskommissionen gehen. Das Thema, wie der „Status" einer gesamtdeutschen Regierung bis zum Abschluß eines Friedensvertrages aussehen sollte, wurde nicht mehr erwähnt.

Adenauer war über die westliche Antwort sehr erfreut, Außenminister Wyschinski war es weniger. Als ihm am 10. Juli die Note überreicht wurde, war sein erster Eindruck negativ. Er beklagte, daß es eine ganze Reihe von Mißverständnissen gebe im Hinblick auf die sowjetische Deutschlandpolitik. Als der britische Botschafter nachhakte, betonte Wyschinski, er müsse die Note erst sorgfältig prüfen[223]. Am 23. August beantwortete die sowjetische Regierung die Note. Der größte Teil der Antwort war Angriffen gegen den Atlantikpakt, die EVG und den Deutschlandvertrag gewidmet. Das Thema „freie Wahlen" wurde in den Hintergrund gedrängt. Statt dessen hieß es, eine Kommission aus Vertretern des Bundestages und der Volkskammer solle prüfen, ob in Deutschland die Bedingungen für die Durchführung allgemeiner freier Wahlen gegeben seien. Auf einer Viermächte-Konferenz, die spätestens im Oktober stattfinden sollte, sollte das Thema „freie Wahlen" als Punkt 3 behandelt werden. Punkt 1 der Tagesordnung aber sollte lauten: Vorbereitung eines Friedensvertrages mit Deutschland, Punkt 2 Schaffung einer gesamtdeutschen Regierung. Außerdem sollte die Frage des Termins für den Abzug der Besatzungstruppen erörtert werden. Vertreter der DDR und der Bundesrepublik sollten an dieser Konferenz teilnehmen[224]. Dies alles war nach Auffassung des State Department lediglich „ein Wiederaufwärmen alter Themen", mit dem Ziel, die Öffentlichkeit in der Bundesrepublik zu verwirren. Nach Meinung des britischen Botschafters in Moskau wiesen sämtliche Indizien darauf hin, daß die Sowjets eine Wiedervereinigung nunmehr ausschlossen und mit Nachdruck die Integration der DDR ins kommunistische Lager betreiben würden[225]. Wie in Washington war man nun auch in London und Paris davon überzeugt, daß die Sowjets die durch die Unterzeichnung der Westverträge geschaffenen Fakten akzeptiert hatten, keine Viererkonferenz wollten, an einem demokratischen, freien, wiedervereinigten Deutschland im Sinne des Westens nicht interessiert waren – was in der Tat keine Überraschung war – und statt dessen beschlossen hätten, „mit der Integration Ost-Deutschlands in ihr eigenes kommunistisches System voranzuschreiten"[226], auch wenn die amerikanische Botschaft in Paris vor der Annahme warnte, die Sowjets hätten bereits ihre letzte Trumpfkarte ausgespielt und die Hoffnung aufgegeben, die Ratifizierung der Westverträge zu verhindern. Im Westen sei zwar dieses Gefühl, es doch noch ein letztes Mal zu versuchen, im Moment nicht mehr stark, aber man sei noch nicht endgültig aus der Gefahrenzone heraus[227].

In diesem Sinne beantworteten die Westmächte am 23. September[228] die sowjetische Note, auch wenn Washington zunächst den Notenwechsel hatte beenden wollen. Die Tür zu Verhandlungen mit den Sowjets sollte nicht zugeschlagen werden – wofür sich mit Nachdruck auch Adenauer einsetzte –, allerdings war eines ganz deutlich: Verhandlungen würden nur auf der Grundlage westlicher Bedingungen geführt werden; und die lauteten eben nicht nur: „freie Wahlen", sondern „freie Wahlen für ein freies Deutschland", ein Deutschland, das so frei sein sollte, daß es Mitglied des westlichen Bündnissystems werden konnte. Damit aber war man endgültig wieder beim Stand vom Frühjahr des Jahres angelangt. Entsprechend war die sowjetische Reaktion. Der britische Botschafter berichtete nach London:

> „Von der säuerlichen Miene zu schließen, die [der stellvertretende Außenminister] Puschkin während des Verlesens der Note zog, kann ich nur den einen Schluß ziehen, daß ihm der Inhalt der Note nicht schmeckte und daß er die darin enthaltene Botschaft gut verstand."[229]

Die sowjetische Regierung beantwortete diese Note nicht mehr und beendete damit von sich aus den Notenwechsel, was im

Westen niemanden überraschte und auch niemand bedauerte. Die westlichen Noten nach Unterzeichnung von EVG- und Deutschlandvertrag waren ohnehin nur eine Pflichtübung mit Rücksicht auf die Öffentlichkeit in Frankreich und der Bundesrepublik gewesen. Der amerikanische Botschafter in Moskau, George F. Kennan, der wenig später vom Kreml zur *persona non grata* erklärt und aus der Sowjetunion ausgewiesen wurde, hatte schon im August massive Kritik an der Notendiplomatie geäußert:

Er sehe nicht, daß man damit etwas gewinnen könne. Der Notenwechsel sei zu kompliziert, man habe zu viele Kompromisse machen müssen. Das Ganze sei nicht sehr überzeugend, führe nicht zu einer Übereinkunft und werde die Sowjets nicht zu einer Änderung ihrer Haltung bewegen. Kennan bezweifelte selbst den Propagandaeffekt. Man habe höchstens Zeit gewonnen, allerdings um den Preis, daß die Geduld der Öffentlichkeit erschöpft sei und Gleichgültigkeit und Zynismus gegenüber dieser Art der Diplomatie zugenommen hätten. Wenn Adenauer, wie bereits erwähnt, auch noch in seinen „Erinnerungen" die Zulassung der UNO-Kommission als „entscheidend" bezeichnet für den ernsthaften Willen der Sowjetunion, so gab Kennan hier die Antwort: Die Forderung nach Einsetzung einer Untersuchungskommission sei doppelzüngig und unehrlich, denn jeder wisse, wie die Dinge in der Ostzone aussähen; dafür brauche man keine UNO-Kommission. Kennans Vorschlag für das weitere Vorgehen hatte gelautet: Den demonstrativen Notenwechsel beenden und versuchen, mit den Sowjets in ein vertrauliches Gespräch über die deutsche Frage zu kommen. Ausdrücklich betonte er, er sei sich der Schwierigkeiten und Gefahren angesichts der noch nicht ratifizierten Westverträge bewußt. Früher oder später müsse man aber mit den Sowjets ins Gespräch kommen, was allerdings davon abhänge, ob die Westmächte wirklich die Wiedervereinigung Deutschlands wollten und welchen Preis sie dafür zu zahlen bereit seien.

Am Rande dieser Passage des Telegramms notierte Acheson „später"[230]. Kennan erhielt die Antwort, man wolle den Notenwechsel fortsetzen, andere Möglichkeiten diplomatischer Kontakte zur Diskussion der deutschen Frage aber prüfen, beides solle Hand in Hand gehen[231].

Zu dieser Kontaktaufnahme sollte es nicht mehr kommen.

9. Die Stalin-Note: eine vertane Chance

Zusammenfassend läßt sich sagen: nach allem, was wir über die sowjetische Politik wissen, war das Angebot Stalins ernst gemeint, d. h. 1952 gab es offensichtlich eine Chance zur Wiedervereinigung – die Westmächte und mit ihnen Adenauer aber waren nicht daran interessiert, sie hatten andere Zielvorstellungen. Ein vereintes, blockfreies Deutschland, Nationalarmee, eigene Rüstungsproduktion, Abzug der Besatzungstruppen, keinerlei Beschränkung der Friedenswirtschaft, freie Betätigung der politischen Parteien und Rehabilitierung der ehemaligen Wehrmachtsangehörigen – das war sieben Jahre nach Kriegsende ein erstaunlich weitgehendes Angebot, nur zu verstehen aus der besonderen „Bedrohungssituation" des Frühjahrs 1952. Daran ändert auch der Verweis auf die Oder/Neiße-Linie nichts, wobei offen bleibt, ob dies wirklich das letzte sowjetische Wort zu dieser Frage gewesen wäre. Die Antwort des Westens war „Steine statt Brot", wie das der jetzige sowjetische Botschafter in Bonn, W. Semjonow, gegenüber seinem deutschen Kollegen in Moskau, H. Groepper, formulierte[232]. Stalins Angebot kam in einer historisch einmaligen Situation, die sich in dieser Form nicht mehr wiederholen sollte. Zur These von Graml, die Sowjetunion habe „zu keinem Zeitpunkt 1952 die Wiedervereinigung zu akzeptablen Bedingungen, nämlich der Opferung der SED-Herrschaft in freien gesamtdeutschen Wahlen angeboten", ist zunächst festzustellen, daß die einfache Gleichung „akzeptabel" gleich „Opferung der SED-Herrschaft" die Sachlage nicht trifft. Dies hat die Sowjetunion in der Tat *so* nicht angeboten. Dies zu erwarten, wäre allerdings auch naiv gewesen, denn das Ergebnis hätte möglicherweise das Vorrücken der NATO bis an die Oder bedeutet. Genau dies wollte die Sowjetunion verhindern: Der Preis für die Opferung der SED-Herrschaft war das blockfreie Deutschland. Auch der „Alibithese" – Stabilisierung der DDR als Glied des Sowjetblocks hinter dem Schirm einer Schuldzuweisung an den Westen – ist nicht zuzustimmen. Die Entscheidung der Sowjetunion, den Zugriff zu verschärfen und die DDR in einen völligen Satelliten zu verwandeln, wie es die amerikanische Hohe Kommission am 2. Juni voraussagte, kam vielmehr erst als *Reaktion* auf die Ablehnung des sowjetischen Angebotes, falls die Entscheidung der 2. SED-Parteikonferenz zum „Aufbau des Sozialismus" überhaupt auf sowjetischen Druck zurückzuführen ist. Auch der These, die Sowjetunion habe „den westlichen Gegnern der westeuropäischen Integrationspolitik den Rücken stärken" wollen, ist nicht zuzustimmen. Im Gegenteil, mit dem Angebot einer deutschen Nationalarmee wurde diesen Gegnern geradezu der Boden unter den Füßen weggezogen. Im übrigen widerspricht sich Graml selbst, wenn er im gleichen Atemzug zutreffend betont, die Wirkung der Notenkampagne habe darin bestanden, „daß die Bereitschaft zur Unterzeichnung des EVG-Vertrages – namentlich in Frankreich – erheblich gefördert wurde"[233].

Da auch die Westmächte nach anfänglichem Zögern von der Ernsthaftigkeit der Note überzeugt waren, ist ihre Reaktion besonders interessant. Sie waren nicht bereit, diese „sehr gefährliche" Lösung der deutschen Frage zu akzeptieren. Sie wollten kein neutralisiertes Gesamtdeutschland, da dies für sie zu große Risiken und Nachteile mit sich bringen würde.

Im Westen war die Furcht vor einem wiedervereinigten Deutschland groß. Man fürchtete, dieses Deutschland werde zur Schaukelpolitik der Zwischenkriegszeit zurückkehren, Ost gegen West ausspielen und sich am Ende für die Sowjetunion entscheiden, da diese mit den Gebieten östlich von Oder und Neiße mehr anzubieten hatte als man selbst. Der Rapallo-Komplex saß tief. Worum es in Wirklichkeit ging, macht nichts deutlicher als eine Äußerung des amtierenden britischen Außenministers Lord Salisbury aus dem Jahre 1953 gegenüber Churchill. Mit EVG- und Deutschlandvertrag habe man „alles nur Menschenmögliche getan, um ein deutsch-russisches Zusammengehen zu verhindern"; dies sei „der eigentliche Sinn" der Verträge[234]. Mit anderen Worten: Es ging in Wirklichkeit um die *Kontrolle* Westdeutschlands, nicht um die Wiedervereinigung. Wenn es schon keine ideale Deutschlandpolitik gab, mußte man den Weg des geringsten Risikos wählen, und das war die Westintegration der Bundesrepublik.

Die Teilung des Landes begünstigte diese Lösung, die im Frühjahr 1952 mit Nachdruck betrieben wurde, auch um vollendete Tatsachen zu schaffen. Entsprechend lautete die Forderung: freie Wahlen *und* Handlungsfreiheit einer gesamtdeutschen Regierung. Diese Formel klang zwar „fair", wurde aber später selbst in den eigenen Reihen als irreal, ja geradezu als „utopisch" bezeichnet[235]. Über den ersten Punkt hätte Stalin möglicherweise mit sich reden lassen, der zweite war unannehmbar – und der

Westen wußte dies –, denn damit wäre für ganz Deutschland das möglich geworden, was Stalin mit seinem Angebot ja schon für die Bundesrepublik hatte verhindern wollen: die militärische Integration in den Westen. So waren die Positionen von Ost und West von Anfang an unvereinbar.

Für Adenauer hatte die Wiedervereinigung nur sekundäre Bedeutung, da er für sich die Alternative Westintegration oder „Einheit in Freiheit" ausschloß, vielmehr das erste im Vertrauen auf den Westen als die Voraussetzung für das zweite zur öffentlich begründeten Grundlage seiner Politik machte und entsprechend handelte. Daher gab es auch für die Westmächte keinerlei Veranlassung, von ihrer Position abzurücken, obwohl sie das Problem Westintegration – Wiedervereinigung sehr deutlich sahen und von ihrer Propaganda, in der die Westintegration als bester Weg zur Freiheit verkauft wurde, selbst am wenigsten überzeugt waren. Ohne die vorbehaltlose Unterstützung durch Adenauer wäre dieser Kurs denn auch wohl kaum durchzuhalten gewesen. Für den britischen Hohen Kommissar Kirkpatrick war Adenauer trotz aller Querelen, die man mit ihm hatte, bereits im November 1950 zur Durchsetzung der Politik der Westmächte der beste Kanzler, den man sich wünschen konnte. Er war genau das, was er nach Meinung vieler nicht hätte sein dürfen und wovor Kaiser in der Kabinettssitzung am 11. März gewarnt hatte: „amerikanischer als die Amerikaner".

Wenn Stalins Angebot denn „Bluff" gewesen wäre, wie es der westdeutschen Öffentlichkeit suggeriert wurde und woran die Mehrheit der Adenauer-Apologeten noch heute festhält – und woran Adenauer selbst wohl am wenigsten geglaubt hat –, dann bleibt die Frage, warum man Stalin nicht gezwungen hat, seine Karten auf den Tisch zu legen, etwa im Sinne der Briten Allen und Roberts (siehe oben, S. 60) oder des Planungsstabes des amerikanischen State Department? Nicht einmal die Frage nach dem Schuman-Plan ist gestellt worden.

Die Haltung des Westens ist die Antwort. Die ganze „Notenschlacht" 1952 war lediglich Taktik, damit wurde sozusagen ein Nebenkriegsschauplatz eröffnet, um insbesondere in der deutschen Öffentlichkeit die forcierte Westintegration abzusichern.

Was den Einfluß Adenauers betrifft, so ist – mit den Worten Grewes! – festzuhalten, „daß in dem Augenblick, in dem der Bundeskanzler nicht die Haltung eingenommen hätte, die er tatsächlich eingenommen hat, sondern dem sowjetischen Vorschlag positiver gegenübergestanden wäre, sein politisches Gewicht gleich in sehr deutlicher Weise sichtbar geworden wäre"[236]. Genau das ist der Punkt, und insofern kann die Behauptung, vor allem auch aufgrund seiner Haltung sei eine Chance zur Wiedervereinigung vertan worden, nicht widerlegt werden – schon gar nicht unter Hinweis auf die amerikanischen Akten, wie Graml dies tut. Daß nicht einmal versucht wurde, in direkten Verhandlungen „auszuloten", wie weit Stalin wirklich zu gehen bereit gewesen wäre, bleibt Adenauers historisches Versäumnis in jenem Frühjahr 1952. Dies ist um so unverständlicher, als es mehrfach Ansätze für ein solches „Ausloten" gegeben hat. Nach Durchsicht der Akten besteht überhaupt kein Zweifel mehr daran, daß Verhandlungen mit den Sowjets möglich gewesen wären, und zwar ohne die Westintegration zu gefährden, hätte Adenauer dies nur gewollt.

Adenauer war kein Bismarck, er hat Rußland nie verstanden. Im März 1966, als er auf dem Bundesparteitag der CDU zum Erstaunen seiner Parteifreunde (das Protokoll verzeichnet an dieser Stelle „Beifall und Bewegung") nach eigenem Bekunden ein „kühnes Wort" aussprach, daß nämlich die Sowjetunion in die Reihe der Völker eingetreten sei, „die den Frieden wollen"[237], war es zu spät. Diese Erkenntnis 1952, und die deutsche Geschichte wäre möglicherweise anders verlaufen.

Hätte ein neutralisiertes Deutschland zwangsläufig zu labilen Verhältnissen in Mitteleuropa führen müssen, gar zur Sowjetisierung ganz Deutschlands? Wohl kaum; es wurde zwar öffentlich damit argumentiert, aber die internen Analysen – etwa auf amerikanischer Seite – sahen anders aus. Churchill hat diese Frage 1953 entschieden verneint. Adenauers Formel „Neutralisierung heißt Sowjetisierung" ist in jedem Fall zu kurz gegriffen, genauso wie die Formel „Freiheit oder Sklaverei!" Es gibt viele Formen des Neutralismus, Moskau verlangte nicht den Austritt aus der Montanunion, wie Adenauer vorschnell – ohne Prüfung – schloß, es verlangte die Aufgabe der *militärischen* Westintegration, nicht mehr. Über all dieses hätte mit den Sowjets verhandelt werden müssen. Nur durch die Initiative Adenauers wäre Bewegung in die starren Positionen in Ost und West gekommen. Sein unbeugsamer Starrsinn und seine Inflexibilität des Denkens haben dies verhindert: Sein Weltbild stand seit Kriegsende unverrückbar fest. Hinzu kommt wohl auch seine Furcht, in gesamtdeutschen Wahlen die Mehrheit an die SPD zu verlieren (wie im übrigen auch die Briten und Franzosen befürchteten), auch wenn er öffentlich – wer will es ihm verdenken? – immer das Gegenteil behauptet hat.

Er hat im übrigen der nationalen Kraft eines wiedervereinigten Deutschland wenig zugetraut – auch dies war mitentscheidend für seine Haltung. Die Bundesrepublik fest im Kreise der westlichen Demokratien zu verankern, sie zugleich vor der von ihm befürchteten kommunistischen, sowjetischen Expansion zu schützen, auch um den Preis der fortdauernden Teilung des Landes, das war Adenauers erklärtes Ziel. Kontinuierlich warnte er vor einem neutralisierten, blockfreien Deutschland. Adenauer schon am 22. Februar 1951:

> „Was würde eine Neutralisierung Deutschlands bedeuten? Die Besatzungstruppen würden abziehen. Für eine gewisse Zeit würde der Schein eines demokratischen Staates gewahrt werden. Die Sowjets würden alle Möglichkeiten ausschöpfen, mit Hilfe der Fünften Kolonne Deutschland von innen her auszuhöhlen, um damit auf kaltem Wege ihr Ziel zu erreichen."[238]

Auch einer bewaffneten Neutralität zwischen den Blöcken erteilte er eine klare Absage: Dazu noch am 23. Mai 1952, drei Tage vor der Unterzeichnung der Westverträge:

> „Am schlimmsten ist für uns der Gedanke, der in manchen Köpfen spukt, Deutschland solle versuchen, zwischen den beiden großen Mächtegruppen ein eigenes Spiel zu spielen. Das ist eine Unmöglichkeit."[239]

Ob es dies wirklich war, bleibt die entscheidende Frage. In erster Linie aufgrund der Entscheidung Adenauers – und dies ist mit Nachdruck festzuhalten – ist es nicht zu Verhandlungen mit der Sowjetunion gekommen, er hat sämtliche Initiativen zum „Ausloten" der Note sofort abgewürgt. Selbst bei dem Versuch, den Sowjets aus taktischen Gründen Vierergespräche anzubieten, war er auf der Seite der Konferenzgegner. In erster Linie ist Adenauer dafür verantwortlich zu machen, daß der gesamtdeutsche Stachel seitdem Bestandteil deutscher Politik ist. Besonders schwer wiegt seine – erst nach Öffnung der Akten bekanntgewordene – Entscheidung, auch den Vorschlag des amerikanischen Außenministers Acheson von Ende April abzulehnen. Aus Adenauers Sicht ist 1952 allerdings keine Chance vertan worden, für ihn war das sowjetische Angebot überhaupt keine Chance, für ihn hatte die Westintegration absolute Priorität. Sein Nein aber war der Verzicht auf eine aktive Politik der Wiedervereinigung. Jene Männer aus den eigenen Reihen, die der nationalen Einheit in jenem „Jahr der Klärung", wie Franz Josef Strauß jenes Jahr 1952 aus der Rückschau des Jahres 1984 zu Recht genannt hat[240], Priorität gaben, die die sowjetische Offerte zumindest geprüft sehen wollten – Kaiser, Lemmer, Gradl, Blumenfeld, offensichtlich auch v. Brentano, um nur einige zu nennen –, konnten sich allesamt nicht gegen Adenauer durchsetzen, ganz zu schweigen von Schumacher, Heinemann oder Publizisten wie Sethe. Nichts zeigt die Problematik dieses Themas deutlicher als die Tatsache, daß die letztgenannten Männer noch 1984 öffentlich schlicht als „Säulenheilige" abqualifiziert werden, wie dies Ulrich Noack tut[241]. So einfach sollte und kann man sich die Sache wohl nicht machen. Die Weigerung Adenauers, das sowjetische Angebot auf seine Ernsthaftigkeit zu prüfen, nannte Waldemar Besson „den Verlust der gesamtdeutschen Unschuld"; das Urteil des altgedienten Diplomaten Paul Frank fällt gleichermaßen hart aus: diese Weigerung widerspreche dem Berufsethos des Diplomaten, „sie stellt eine historische Schuld gegenüber dem Gedanken der deutschen Einheit dar, die eigentlich jenen, die das zu verantworten haben, den Mund für immer hätte verschließen müssen, wenn von Wiedervereinigung die Rede war"[242]. Dem ist nichts mehr hinzuzufügen; erst recht nicht nach Einsicht in die Akten!

Der Westkurs kostete letztlich einen Preis, „der moralisch um so anfechtbarer war, da ihn die 18 Millionen Mitteldeutschen bezahlen mußten"[243]. Denn über eines waren sich im Westen alle Beteiligten im klaren: Je länger die Teilung andauerte, um so weiter würden sich Ost und West auseinanderentwickeln, um so größer würden die „Hindernisse auf dem Weg zur Einheit", über die sich Ende Juli 1952 Unterstaatssekretär Allen im Foreign Office Gedanken machte. Er nannte wirtschaftliche, politische und psychologische Schwierigkeiten, sprach aber auch von der „natürlichen Neigung des Menschen, sich mit den gegebenen Verhältnissen abzufinden"[244]. Man konnte schlußfolgern: Das deutsche Problem würde sich dann von selbst erledigen. Außenminister Eden mag wohl ähnlich darüber gedacht haben: Die Akte mit seiner Stellungnahme wurde von der britischen Regierung jedenfalls nicht zur Einsicht freigegeben.

10. Das Jahr 1953:
Churchill, Adenauer und die Wiedervereinigung

Ob die von Außenminister Acheson Ende August 1952 geäußerte Absicht, zu einem späteren Zeitpunkt das vertrauliche
Gespräch mit den Sowjets zu suchen, ernst gemeint war, darf
bezweifelt werden. Es fehlten praktisch alle Voraussetzungen für
einen amerikanisch-sowjetischen Dialog. Die Sowjetunion durch-
lebte die letzte Phase des Stalinismus. Seit Ausbruch des Korea-
krieges im Juni 1950 hatte der Kalte Krieg eine gefährliche
Wendung genommen. Und in diesem Koreakrieg, der aus amerikanischer Sicht – das galt für Demokraten und Republikaner
gleichermaßen – ein Stellvertreterkrieg des Kreml war[245], wurde
weiter geschossen. Er war im Herbst 1952 ein wichtiges Thema im
amerikanischen Wahlkampf, einem Wahlkampf, der in einer
Atmosphäre der Furcht und Hysterie stattfand, geschürt von
Senator McCarthys antikommunistischer Hexenjagd. Eisenhower
beschwor die Bedrohung Amerikas durch eine große und in ihrer
Primitivität brutale Tyrannei, die viele Millionen Menschen und
zahlreiche Nationen von Polen und Ostdeutschland bis zu China
und Tibet versklavt habe. Und Dulles verurteilte die von den
Demokraten betriebene Politik der Eindämmung des Kommunismus als negativ, steril und unmoralisch und forderte statt dessen
eine aktive „Politik der Befreiung", die den vom Kommunismus
versklavten Völkern wieder Hoffnung und der amerikanischen
Außenpolitik ein Ziel gebe[246]. Daß dieser „New Look" einer
konsequenten antikommunistischen Befreiungspolitik nicht viel
mehr war als aggressive Befreiungsrhetorik, die sich in der Praxis
nicht wesentlich von der Politik Trumans unterschied, ist damals
weder von den europäischen Verbündeten der USA noch – so ist
wohl zu vermuten – von den Sowjets sogleich erkannt worden[247].

Die neue Administration mit Dwight D. Eisenhower als Präsi-
denten, dem militant-antikommunistischen Richard Nixon als
Vizepräsidenten und John Foster Dulles als Außenminister bot
sich jedenfalls der Welt als eine Regierung der Kalten Krieger
dar. Maß man sie an ihren Worten, schien eine Verschärfung
des Ost-West-Konfliktes mit unvorhersehbaren Konsequenzen
unausweichlich. In dieser Situation fühlte sich ein Mann mehr
denn je zur Führung der (westlichen) Welt berufen: der 78jährige
Winston S. Churchill. Seit er im November 1951 wieder die
Leitung der britischen Politik übernommen hatte, hoffte er, den

Kalten Krieg durch Verhandlungen auf höchster Ebene entschärfen, wenn nicht gar beenden zu können.

Dies war keine Chimäre eines alternden Staatsmannes. Auch wenn es kaum Zweifel daran gibt, wie D.C. Watt betont hat[248], und wie es die Aufzeichnungen des Leibarztes von Churchill bestätigen[249], daß Churchill wünschte, man möge sich an ihn als Friedensstifter ebenso wie als Führer in Kriegszeiten erinnern, gab es für diese Politik noch andere, ebenso wichtige Motive. Großbritannien war nicht mehr jene Macht, die im Krieg formal gleichberechtigt neben den USA gekämpft hatte, und Truman war nicht jener Partner gewesen, mit dem sich die Intimität der Kriegszeit hatte wiederherstellen lassen, wie Churchill bei seinem Besuch in Washington im Januar 1952 schmerzlich hatte erkennen müssen. Es war ihm nicht einmal gelungen, zu erreichen, daß der Plan aufgegeben wurde, wonach auch die Royal Navy im Atlantik einem amerikanischen Admiral unterstehen sollte[250].

Wie D.C. Watt wohl zu Recht vermutet, hat Churchill, der auch weiterhin – trotz der veränderten Bedingungen – die Interessen Großbritanniens vor einem globalen Hintergrund betrachtete, damals offensichtlich erkannt, daß nur eine Verminderung der internationalen Spannungen es Großbritannien ermöglichen würde, seine Stärke so weit aufzubauen, daß es den Vereinigten Staaten ebenbürtig gegenübertreten könne. Die USA mußten dazu veranlaßt werden, „im Ring zu bleiben"[251], damit sie nicht im Bewußtsein der eigenen Stärke in den Isolationismus zurückkehrten. Dies durfte allerdings nicht auf Kosten einer völligen Unterordnung der britischen Interessen unter die Bürokratie Washingtons geschehen[252]. Was bei Truman nicht gelungen war, erhoffte sich Churchill von Eisenhower: die guten Beziehungen aus der Kriegszeit neu zu beleben und auszubauen. Seine Vorstellung war es, genau da wieder anzuknüpfen, wo ihn der britische Wähler als einen der „Großen Drei" abberufen hatte – bei der Konferenz von Potsdam. In diesen Monaten kreisten Churchills Gedanken immer wieder um die Ereignisse während der letzten Monate seiner Regierung im Jahre 1945, in denen er sich mit seinen Vorstellungen bei den Amerikanern nicht hatte durchsetzen können. Was 1945 gegolten hatte, galt seiner Meinung nach 1953 noch mehr: Amerika war sehr mächtig, aber auch sehr schwerfällig. Er wollte es zur Einsicht bringen[253].

Am 5. März 1953 starb Stalin. Er hinterließ die Sowjetunion und ihre europäischen Satellitenstaaten in einem Zustand gefährlicher Überspannung ihrer wirtschaftlichen Kräfte. Außenpolitisch war die Sowjetunion zudem völlig isoliert. Für den Westen stellte sich die Frage, ob die neue Führung unter G. M. Malenkow und L. P. Berija mit W. M. Molotow wieder als Außenminister zu einer Politik der Entspannung bereit sein werde.

Es war Churchill, der am 11. März auf westlicher Seite die Initiative ergriff. Ihm ging es zunächst einmal darum, die Haltung Eisenhowers zur neuen sowjetischen Führung und zu einem möglichen Treffen – gemeinsam mit ihm oder jeder für sich – herauszufinden. Er habe das Gefühl, so schrieb er an Eisenhower, daß beide zur Rechenschaft gezogen würden, wenn sie nicht den Versuch unternähmen, im Buch der Geschichte eine neue Seite aufzuschlagen, um ein neues Kapitel in den Ost-West-Beziehungen zu beginnen, bei dem mehr herauskomme als lediglich die Fortsetzung gefährlicher Zwischenfälle an jenen Stellen, wo die in zwei Blöcke geteilte Welt aufeinanderstoße. Er zweifele nicht daran, daß diese Gedanken auch Eisenhower tief bewegten[254]. Schon am nächsten Tag kam die eher ernüchternde Antwort aus Washington. Eisenhower lehnte ein Treffen mit den Führern im Kreml zum gegenwärtigen Zeitpunkt ab, da man den Sowjets nicht die Möglichkeit zu einer erneuten „Propagandaschau" geben dürfe[255].

Die neue sowjetische Führung entfaltete schon wenige Tage nach dem Tode Stalins eine bemerkenswerte Aktivität. Es begann jene „Tauwetterperiode", über deren Interpretation im Westen die Meinungen weit auseinandergingen: War dies lediglich Taktik oder der Beginn eines grundsätzlichen Wandels der sowjetischen Politik? Molotow gab dem britischen Botschafter Sir A. Gascoigne am 27. März zu verstehen, er wolle sich um die Freilassung der in Nordkorea gefangengehaltenen britischen Diplomaten bemühen. Gleichzeitig schlug er den Austausch der kranken und verwundeten Gefangenen und die Wiederaufnahme der Waffenstillstandsverhandlungen in Panmunjong und Verhandlungen über die Flugsicherheit in Deutschland vor. Die Reaktion Sir A. Gascoignes war dennoch zurückhaltend: Er erkannte zwar an, daß die neue Entwicklung in der sowjetischen Politik die Aussichten auf eine Entspannung im Kalten Krieg verbessern könne, wies aber mit Nachdruck darauf hin, daß diese Politik Gefahren in sich berge. Denn „ein wirklicher Gesinnungswandel, der zu einem grundlegenden Kurswechsel in der Politik führt, ist undenkbar"[256].

Diese Beurteilung der Situation lag genau auf der Linie des Foreign Office. Der Leiter der Rußlandabteilung brachte sie auf den Nenner: „Ein paar Schwalben machen noch keinen Sommer."[257] In einer Analyse für Außenminister Eden bezeichnete Sir William Strang die Probleme mit der Sowjetunion als „fundamental und eine Funktion der beiden unterschiedlichen Weltsysteme". Die neue sowjetische Politik sei möglicherweise besonders gefährlich. Seiner Meinung nach hatten sich die Sowjets lediglich zu einer Änderung ihrer Taktik entschlossen, nachdem sie erkannt hätten, daß ihre rigide, unnachgiebige und aggressive Politik zu nichts anderem geführt habe, als daß „die Schwachen ihre moralische und materielle Verteidigung beschleunigt ausbauen". Sie hofften jetzt womöglich, durch eine moderate Politik – Nachgiebigkeit in kleinen, unwichtigen, möglicherweise auch in einigen wichtigeren Dingen – die antikommunistische Front aufbrechen und die neutralen Staaten auf ihre Seite ziehen zu können. In der Vergangenheit habe man sich immer darauf verlassen können, daß die Sowjets keine auf Ausgleich bedachten, für den Westen unangenehmen Manöver durchführten. Dies habe sich offensichtlich geändert. Die neue Friedenspropaganda habe jedenfalls mehr Gewicht. Daraus zog Strang für die eigene Taktik die Konsequenz: so beweglich wie möglich reagieren, ohne allerdings vitale Interessen wie etwa die NATO aufzugeben. „Gerade in dem Punkt", so sein Resumé, „könnten sich die Franzosen als besonders schwache Gefährten erweisen." Man kam zu dem Schluß, zunächst einmal Sir A. Gascoigne zur Berichterstattung nach London zurückzurufen[258].

Churchill sah das alles ganz anders. Für ihn waren die Nachrichten über die sowjetischen Aktionen „höchst erfreuliche" Mitteilungen. Er wollte jetzt so schnell wie möglich ein Treffen zwischen Eden und Molotow. Die Rückberufung des Botschafters zur Konsultation war seiner Meinung nach ein völlig überflüssiger Schritt. Er sah keinen Sinn im „Procedere um des Procedere willen" und ließ Eden den Entwurf eines Briefes an Molotow übergeben, in dem er es als seinen größten Wunsch bezeichnete, wenn Molotow und Eden, die in der Vergangenheit schon so viele berühmte Gespräche miteinander geführt hätten, zu einem weiteren „freundlichen und informellen" Treffen, möglicherweise in Wien, zusammenkämen. Ein solches Gespräch „könnte uns alle vom Weg des Wahnsinns und des Untergangs abbringen". Aber selbst wenn bei einem solchen Treffen nichts herauskommen sollte, könne er nicht einsehen, daß für irgendjemand die Sache nachteilig sei. Noch einmal betonte er, er wolle kein Interview zwischen Gascoigne und Molotow, sondern zwischen Molotow und Eden. Zu einem späteren Zeitpunkt, wenn alles gut laufe, „könnten ich und Ike [Eisenhower] dazustoßen"[259]. Das Gespräch Eden-Molotow fand nicht statt. Eden erkrankte Anfang April schwer, mußte operiert werden und fiel für die nächsten Monate aus. Churchill entschloß sich, entgegen dem Rat seines Arztes, in dieser Situation auch noch die Leitung des Foreign Office zu übernehmen. In mehreren persönlichen Botschaften an Molotow versuchte er nun, das Terrain zu erproben, auf dem ein Dialog mit den neuen sowjetischen Führern begonnen werden konnte. Die Signale, die aus Moskau kamen, interpretierte er als Gesprächsbereitschaft der Sowjets[260]. Anfang Mai war er entschlossen, den direkten Kontakt mit Moskau herzustellen und notfalls eine „einsame Pilgerfahrt" nach Moskau zu unternehmen[261]. In diesem Sinne beabsichtigte er, ein Telegramm an Molotow zu schicken – allerdings erst, nachdem Eisenhower dazu Stellung genommen hatte[262]. Diese Stellungnahme kam umgehend und fiel absolut negativ aus[263]. Am 6. Mai erläuterte Churchill noch einmal seine Absichten und machte dann das Zugeständnis, nicht vor Ende Juni nach Moskau zu fahren[264]. Eisenhower antwortete am 8. Mai, er habe versucht, klarzumachen, daß er selbstverständlich Churchills Recht anerkenne, „in solchen Dingen selbst zu entscheiden". Im Augenblick aber sei er sehr viel mehr besorgt über die zahlreichen Krisenherde in der Welt, nämlich Korea, Südostasien, Laos, Iran, Ägypten, Pakistan und Indien. Dann folgten ausführliche Erläuterungen zur amerikanischen Politik gegenüber diesen Ländern, verbunden mit kritischen Anmerkungen zur britischen Politik. Eisenhowers Schlußfolgerung lautete:

> „Im Augenblick sehe ich für uns keine andere Wahl, als den Ausbau der moralischen, wirtschaftlichen und militärischen Stärke des Westens stetig fortzusetzen. Das ist die große Herausforderung, mit der wir alle konfrontiert sind."[265]

Churchill blieb bei seiner Lieblingsidee – einer Gipfelkonferenz. In seiner großen außenpolitischen Rede am 11. Mai im Unterhaus sprach er sich – wie bereits am 20. April, jetzt allerdings mit noch größerem Nachdruck, – für die alsbaldige Einberufung einer solchen Konferenz aus, „über der keine schwerfällige oder starre Tagesordnung hängt und die nicht im Labyrinth oder Dschungel technischer Details geführt wird, eifersüchtig bewacht von Horden von Experten und Beamten, in riesigen, schwerfälligen Reihen"[266].

Zu diesem Zeitpunkt war man sich selbst im Foreign Office noch im unklaren darüber, welche konkreten Ziele Churchill in den beabsichtigten Gesprächen mit den Sowjets eigentlich verfolgen wollte. Daß Deutschland ein zentrales Thema sein würde, war allerdings offensichtlich. Daß dies auch für die neuen sowjetischen Führer galt, darauf deuteten entsprechende Hinweise hin, die vom sowjetischen Botschafter in Oslo bis zum sowjetischen Botschaftssekretär in London reichten[267].

Churchill hatte 1952 in die „Notenschlacht" kaum eingegriffen. Es gibt nur wenige Hinweise darauf, was er davon hielt. Im März hatte er ein Memorandum und Karten angefordert, die sich auf die Oder/Neiße-Grenze bezogen. In die entsprechende Karte hatte er ausdrücklich auch jene Linie in Mitteldeutschland aufnehmen lassen, von der im Juli 1945 – gegen seinen Willen – die anglo-amerikanischen Truppen zurückgezogen worden waren. Als die Sowjetunion in ihrer zweiten Note vom 9. April 1952 in der Wahlfrage Zugeständnisse machte, hatte er sich auf einen knappen Kommentar beschränkt. Daß für ihn die ganze Angelegenheit damit noch nicht erledigt war, machte seine Bemerkung deutlich, er sei sich über die Grundfrage noch keineswegs im klaren[268]. Nach der dritten sowjetischen Note bat er Strang um Informationen über die „Entscheidungen" von Potsdam, auf die sich die sowjetische Regierung berief[269]. Im Frühjahr 1953 schien ihm diese Frage klar zu sein: Die Sowjetunion würde einer Lösung der deutschen Frage nur zustimmen, wenn deren Sicherheitsinteressen entsprechend berücksichtigt würden. In seiner Rede am 11. Mai erkannte er daher als erster westlicher Staatsmann diese Sicherheitsinteressen der Sowjetunion öffentlich an und verwies auf den Vertrag von Locarno als einen möglichen Weg für eine Verständigung[270]. Tatsächlich schloß er ein neutralisiertes, wiedervereinigtes Deutschland als Teil einer Gesamtregelung mit der Sowjetunion nicht aus. Das Foreign Office sah sich genötigt, mit allem Nachdruck vor einem solchen Weg zu warnen:

„Eine Neutralisierung Deutschlands, wie es das Ziel der Sowjets ist, würde eine grundlegende Änderung der seit 1947 von den Alliierten verfolgten Politik bedeuten. Unser langfristiges Ziel, das wir zur Zeit verfolgen und dem sich auch Adenauer verschrieben hat, nämlich die Bundesrepublik und schließlich auch ein wiedervereintes Deutschland an den Westen zu binden, ist unvereinbar mit der in Potsdam festgelegten, von uns inzwischen öffentlich zurückgewiesenen Politik der Viermächte-Kontrolle eines neutralisierten Deutschland. Der Preis für eine schnelle Lösung der deutschen Frage gemeinsam mit der Sowjetunion ist die Aufgabe unserer Politik."

Von einer Rückkehr zu Potsdam wurde kurzfristig die Niederlage Adenauers bei den bevorstehenden Bundestagswahlen und eine schwache und wahrscheinlich sozialistische Regierung befürchtet oder das Wiederaufleben eines extremen Nationalismus in der Hoffnung auf einen Handel mit der Sowjetunion. Die langfristigen Gefahren einer solchen Politik wurden vom Foreign Office dramatisch ausgemalt. Alle ausländischen Truppen müßten abgezogen, alle Stützpunkte aufgelöst werden. Nach dem Abzug der amerikanischen Truppen wäre ein solches Deutschland so schwach, daß es abhängig sei von der Gnade der stärksten, rücksichtslosesten und entschlossensten Macht in Europa, der Sowjetunion. Deutschland habe in seiner ganzen Geschichte niemals eine besondere Neigung zur Neutralität gezeigt, und ein wiedervereintes Deutschland mit einer Nationalarmee würde seine wirtschaftliche und militärische Macht nutzen, um Ost und West gegeneinander auszuspielen. Die Russen hätten die ehemaligen Ostgebiete als Köder, der Westen lediglich die Saar. Ein solches Deutschland, mit Berlin wieder als Schwerpunkt, ohne feste Bindung an den Westen, würde sich früher oder später mit größter Wahrscheinlichkeit dem sowjetischen Block anschließen. „Mit unserer eigenen Politik hätten wir dann eine große Gefahr für unsere eigene Sicherheit geschaffen." Und dann wurde aus der westlichen Note vom 13. Mai 1952 zitiert. Die Neutralisierung eines so mächtigen Landes wie Deutschland in der Mitte Europas, so hieß es, „würde einen ständigen Zustand der Spannung und Unsicherheit in der Mitte Europas bedeuten". Damit nicht genug: Auch die Auswirkungen auf die NATO, die Beziehungen USA-Europa, die Westeuropa-Politik, das deutsch-französische Verhältnis und die Wirtschaft Großbritanniens wurden in schwärzesten Farben gemalt. Die Pläne der NATO basierten a) auf einer Vorwärtsstrategie unter Nutzung deutschen Territoriums und b) auf dem deutschen Verteidigungsbeitrag. Bei einer Neutralisierung Deutschlands würde beides verlorengehen; sie würde den Rückzug der alliierten Truppen nach Frankreich und in die Niederlande und den Abzug der amerikanischen Truppen aus Europa überhaupt bedeuten, mit unvorhersehbaren Konsequenzen für die Zukunft der NATO selbst und die amerikanische Europapolitik. Bestenfalls würde die NATO kein wirksamer Schutz mehr für Westeuropa und Großbritannien sein, im schlechtesten Fall wäre die Sicherheit Großbritanniens dann abhängig vom guten Willen der Sowjets. Ein neutralisiertes Deutschland könnte nicht mehr an der westeuropäischen Einigungspolitik teilnehmen. Damit aber würde diese Politik zusammenbrechen, der deutsche Nationalismus würde wiederaufleben und Deutschland wieder zu einer Gefahr für Frankreich und Westeuropa werden. Und noch ein Grund sprach gegen eine neue Politik:

> „Ein nicht wieder aufgerüstetes oder neutralisiertes Deutschland würde von den hohen wirtschaftlichen, finanziellen, arbeitskräftemäßigen und sonstigen Verteidigungslasten befreit sein, die dann noch drückender auf dem Vereinigten Königreich und seinen Verbündeten lasten würden. Die deutsche Wirtschaftskonkurrenz, bereits jetzt ein großes Problem, würde zu einer ernstzunehmenden Gefahr werden."
>
> „Der Kampf um Deutschland", so lautete die Schlußfolgerung, „ist der eigentliche Kern des Problems. Die Wiederaufrüstung der Bundesrepublik, ihre Integration in Westeuropa, die gemeinsamen Verteidigungsanstrengungen sowie die europäische Einigungsbewegung sind wesentliche Bestandteile eines Ganzen. Wenn wir unsere Deutschlandpolitik umstoßen, bringen wir möglicherweise das ganze Gebäude über unseren Köpfen zum Einsturz und schieben die Grenze des Sowjetblocks bis an den Rhein vor [...] Falls Deutschland ein sowjetischer Satellit oder Teilhaber einer unheiligen Allianz mit der Sowjetunion wird, wird es mit ziemlicher Sicherheit Krieg geben."

Bei Fortsetzung der bisherigen Politik habe man eine sehr viel bessere Chance, einen dritten Weltkrieg zu verhindern[271]. Churchills Antwort war eher zurückhaltend. Er sei noch zu keinem Entschluß gekommen und denke weiter darüber nach. In jedem Fall verbiete es aber die eigene Ehre, Adenauer fallenzulassen, das habe er ihm versprochen. Die einzige Hoffnung sei die wachsende atomare Überlegenheit der USA[272].

Nicht nur in den eigenen Reihen, auch in Washington und Paris wurden Churchills Aktivitäten mit Skepsis beurteilt, Adenauer war geradezu entsetzt. Daran änderte auch sein – seit längerer Zeit geplanter – Besuch in London am 14./15. Mai nichts, bei dem Churchill ihm versicherte, Großbritannien werde zu seinen Verpflichtungen gegenüber der Bundesrepublik stehen und niemals Vereinbarungen hinter dem Rücken der Deutschen treffen. Adenauer war mehr denn je davon überzeugt, daß Churchill das deutsche Problem nicht richtig verstand und daß er ihm bei Verhandlungen mit den Sowjets über Deutschland und Europa nicht trauen konnte[273]. Nicht Churchill, Eisenhower war der Partner, auf den Verlaß war! Ihm übersandte Adenauer daher am 29. Mai ein – damals nicht veröffentlichtes – Memorandum, in dem er noch einmal seinen Standpunkt zur Wiedervereinigung darlegte[274]. Als weiteren Schritt legte er außerdem dem Bundestag ein 5-Punkte „Sofortprogramm zur Wiedervereinigung" vor, das am 10. Juni von allen Parteien – mit Ausnahme der KPD – gebilligt wurde[275].

Am 17. Juni kam es zum Aufstand in der DDR; für all jene im Westen, die am bisherigen Kurs in der Deutschland- und Rußlandpolitik festhalten wollten, geradezu ein Geschenk des Himmels. Als am 19. Juni die drei Kommandanten der Berliner Westsektoren auch im Namen der drei Hohen Kommissare in scharfer Form gegen das sowjetische Vorgehen protestierten[276], reagierte Churchill äußerst ungehalten. Er wollte von Sir William Strang wissen, wieso ein solcher Protest herausgehen konnte, ohne daß er zuvor informiert worden sei, und er stellte die Frage, ob dies impliziere, „daß die Sowjets ruhig zusehen sollten, wie die Ostzone in Anarchie und Aufruhr versinkt"? Er habe den Eindruck gewonnen, „daß sie angesichts der sich immer weiter ausbreitenden Unruhen sehr zurückhaltend reagiert haben"[277]. Selwyn Lloyd, Staatsminister im Foreign Office, gab am 22. Juni eine bemerkenswerte Antwort. Das geheime Memorandum vermittelt den Eindruck, als ob das Foreign Office die Zeit für gekommen hielt, Churchill eine Lektion in Sachen Deutschlandpolitik zu geben. Was damals unausgesprochen hinter allen Aktionen stand – und Kritiker der westlichen Politik schon immer vermutet haben –, hier kann man es schwarz auf weiß nachlesen:

> „Deutschland ist der Schlüssel zum Frieden in Europa. Ein geteiltes Europa bedeutet ein geteiltes Deutschland. Deutschland wiederzuvereinigen, solange Europa geteilt ist, ist – falls machbar – gefährlich für uns alle. Deshalb fühlen wir alle – Dr. Adenauer, die Russen, die Amerikaner, die Franzosen und wir selbst – im Grunde unseres Herzens, daß ein geteiltes Deutschland fürs erste sicherer ist. Aber keiner von uns wagt es, dies wegen der Auswir-

kungen auf die öffentliche Meinung in Deutschland auch offen auszusprechen. Daher treten wir alle in der Öffentlichkeit für ein vereintes Deutschland ein, jeder aufgrund seiner eigenen Bedingungen."[278]

14 Tage später nahm Churchill – als Antwort auf eine Kabinettsvorlage des Foreign Office[279] – noch einmal zur deutschen Frage Stellung. Was bisher gleichsam wie ein Naturgesetz zur Grundlage jeglicher westlichen Deutschlandpolitik gemacht worden war, daß nämlich ein wiedervereintes, unabhängiges Deutschland in jedem Fall Verbündeter der Sowjetunion oder von ihr kontrolliert und sowjetisiert werden würde, stellte er in einem Memorandum an den amtierenden Außenminister radikal in Frage.

> „Nichts wird das deutsche Volk von der Einheit abbringen können. Wir müssen der Tatsache ins Auge sehen, daß es immer ‚ein deutsches Problem‘ und ‚eine preußische Gefahr‘ geben wird. Ich bin der Meinung, daß ein vereintes, unabhängiges Deutschland kein Verbündeter der Sowjetunion werden würde."

Nach Meinung Churchills sprachen drei Gründe für diese Annahme:
1. Der überlegene Charakter des deutschen Volkes sei mit den sklavischen Bedingungen in den kommunistischen Ländern nicht vereinbar.
2. Das Schicksal der Ostzone sei für die Deutschen ein lehrreicher Anschauungsunterricht gewesen, und Millionen von ihnen würden noch viele Jahre leben, um die Greueltaten der Kommunisten, selbst von Deutschen an Deutschen begangen, bezeugen zu können.
3. Der von Hitler gegen den Bolschewismus gelenkte Haß sitze tief im Herzen der Deutschen[280].

Churchill konnte seine Gegner nicht überzeugen. Adenauer, der wohl ahnte, was auf dem Spiel stand, wurde in diesen Wochen zum erbitterten Gegenspieler Churchills. Dessen Schlaganfall im Juni erleichterte ihm das Spiel. Eine Gipfelkonferenz der drei westlichen Regierungschefs mußte daraufhin abgesagt werden.

An ihrer Stelle tagten Mitte Juli die drei westlichen Außenminister in Washington. Auf Wunsch Adenauers, der aus wahltaktischen Überlegungen gesamtdeutsche Aktivität vortäuschte[281], wurde der Sowjetunion eine Außenministerkonferenz vorgeschlagen, deren Scheitern bereits dadurch vorprogrammiert war, daß man nicht bereit war, von der bisherigen Deutschlandpolitik auch nur ein Jota abzurücken. Adenauer hatte das Spiel gewonnen, es gab keine Gipfelkonferenz, und das Scheitern der Außenministerkonferenz im Januar/Februar 1954 war dann für niemanden eine Überraschung.

Churchill war zutiefst enttäuscht von dieser Entwicklung. Als man ihm im Juli die Telegramme aus Washington vorlegte, zog er daraus den richtigen Schluß: „Franzosen und Amerikaner wollen, daß die Viermächte-Konferenz scheitert"[282].

Die Außenminister hatten seiner Meinung nach „alles verpfuscht". Seine Hoffnung war die Gipfelkonferenz gewesen, ein Treffen mit Malenkow.

Der britische Premierminister war damals davon überzeugt, wie er es selbst formulierte, an einem „Wendepunkt der Weltgeschichte" zu stehen[283]. Daß überhaupt ein Mann wie er, dem bis heute der Ruf anhaftet, der erste echte „kalte Krieger" gewesen zu sein, im Jahre 1953 entschlossen war, das Gespräch mit den Sowjets zu suchen, und dabei auch bereit war, über die deutsche Frage neu nachzudenken – im Gegensatz zu den Bürokraten im Foreign Office –, das gehört zu den aufregendsten und zugleich – blickt man auf das Ergebnis – deprimierendsten Erkenntnissen nach Durchsicht der Akten.

Churchills Initiative erfolgte zu einem Zeitpunkt, an dem die Voraussetzungen dafür ungünstig waren. Von jenen im Westen, die politische Verantwortung trugen, war außer ihm niemand in der Lage oder willens, den einmal eingeschlagenen Kurs in der Deutschland- und Europapolitik, auf den man sich – mühsam genug – geeinigt hatte, zu verlassen und nach möglichen Wegen der Entspannung zu suchen. Unvorstellbar der Gedanke, Adenauer wäre zum Partner und nicht zum erbitterten Gegenspieler Churchills geworden.

Stalins Tod eröffnete für Adenauer – anders als für Churchill – keine neuen Perspektiven im Hinblick auf die Wiedervereinigung und einen Interessenausgleich mit den Sowjets. Das Gegenteil war der Fall. Am 1. April 1953 hatte er den britischen Hohen Kommissar vor der Illusion gewarnt, daß es einen Gesinnungswandel bei den Russen gebe. Man müsse von der neuen Situation nach Kräften profitieren und so viel wie möglich bei den Sowjets herausholen. Der Tod des sowjetischen Diktators war für ihn eine „Atempause, die der Himmel geschickt hatte". Die Sowjets würden gezwungen sein, eine ganze Weile kürzer zu treten; der Westen müsse dies ausnutzen – und die Integrationspolitik entschlossen vorantreiben, da man jetzt ziemlich sicher sein könne, daß die Sowjets nicht mit Gewalt antworten würden[284].

Eisenhower war außerstande zu der von Churchill vorgeschlagenen, höchst persönlich gehaltenen Form der Diplomatie, er war abhängig von seinen Beratern und womöglich noch stärker antisowjetisch eingestellt als sein Außenminister Dulles[285]. Die Zeiten der „Großen Drei" des Zweiten Weltkrieges, an die Churchill in nostalgischer Erinnerung zurückdachte, waren endgültig vorbei. Ein nicht zu unterschätzender Faktor kam hinzu: In Ost und West war die Außenpolitik inzwischen verbürokratisiert worden. Die „Subalternen", wie Churchill sie verächtlich nannte[286], bestimmten nicht selten die Politik. Kriege würden sie nicht erklären, aber zum Friedenstiften seien sie auch denkbar ungeeignet.

Das Jahr 1953 wurde nicht zum Friedensjahr, Churchill nicht zum erhofften Friedensstifter im Kalten Krieg. Im Westen sprach eigentlich alles gegen ihn, so daß er scheitern mußte; der Schlaganfall im Juni tat ein übriges. Churchill blieb ein einsamer Rufer in der Wüste. Die Frage drängt sich dennoch auf, ob nun, ein Jahr nach der Stalin-Note, eine Chance vertan worden ist, ob die Wiedervereinigung in Freiheit auf der Grundlage international kontrollierter Neutralität zu haben gewesen wäre, möglicherweise unter Bedingungen, die über die Stalin-Note hinausgegangen wären, wenn gleichzeitig die sowjetischen Sicherheitsbedürfnisse befriedigt worden wären. Solange die sowjetischen Archive westlichen Forschern verschlossen bleiben, wird auch auf diese Frage jede Antwort schwerfallen. Neben jenen „Signalen", die Churchill in seiner Auffassung bestätigten, daß es sich sehr wohl lohne, das Gespräch mit den neuen sowjetischen Führern zu suchen, deutet auch die Entwicklung in der DDR – zumindest bis zum 17. Juni – auf die Bereitschaft der Sowjets hin, neu über die deutsche Frage zu verhandeln.

Wir wissen, daß Wladimir Semjonow, der Anfang Juni zum Hohen Kommissar in der DDR ernannt worden war und am 5. Juni von Moskau nach Ost-Berlin zurückkehrte, die SED-Führung dazu veranlaßte, ihre im Juli 1952 beschlossene Politik des „Aufbaus des Sozialismus" aufzugeben und sich auf einen Machtverlust bei einer bevorstehenden Wiedervereinigung unter demokratischen Bedingungen vorzubereiten[287]. Am 11. Juni wurde im „Neuen Deutschland" jener berühmte Beschluß des SED-Politbüros vom 9. Juni veröffentlicht, in dem das Eingeständnis schwerer wirtschaftspolitischer Fehler gemacht und ein „Neuer Kurs" verkündet wurde. Das Politbüro habe, so hieß es weiter, „bei seinen Beschlüssen das große Ziel der Herstellung der Einheit Deutschlands im Auge, welches von beiden Seiten Maßnahmen erfordert, die die Annäherung der beiden Teile Deutschlands konkret erleichtern." Bemerkenswert war hieran auch, daß nicht von zwei deutschen Staaten, sondern den beiden Teilen Deutschlands die Rede war. Und am 13. Juni hieß es in der „Täglichen Rundschau", dem offiziellen Organ der Sowjets in der DDR, die Beschlüsse der SED seien „auf das große Ziel der Wiedervereinigung des deutschen Volkes in einem geeinten, nationalen deutschen Staat gerichtet". Auf Anordnung des SED-Politbüros vom gleichen Tag verschwanden aus dem Berliner Straßenbild all jene Parolen, die auf den „Aufbau des Sozialismus" verwiesen.

Der 17. Juni bedeutete das Ende einer Entwicklung. „Der Versuch wurde aufgegeben, weil die Chancen einer für die Sowjets akzeptablen Verhandlungslösung der deutschen Frage sich als gering erwiesen und weil schon die ersten Schritte eine potentiell das ganze osteuropäische Imperium der Sowjets gefährdende Krise auslösten"[288]. Von nun an stand die DDR offensichtlich nicht mehr zur Disposition (wobei allerdings angesichts fehlender Quellen offen bleiben muß, wie die Versuche der Sowjetunion um die Jahreswende 1954/55 zu werten sind, durch entsprechende Wiedervereinigungsangebote den Beitritt der Bundesrepublik zur NATO doch noch zu verhindern)[289].

Am 26. Juni wurde Berija, der Chef der sowjetischen Geheimpolizei gestürzt, am 23. Dezember 1953 wurde er erschossen. Auf der 15. Tagung des ZK der SED vom 24.–26. Juli 1953 klagte Walter Ulbricht Berija an, dieser habe die DDR in Verhandlungen mit den Westmächten „verkaufen" wollen[290], 1957 hat Chruschtschow diesen Vorwurf auch auf den sowjetischen Ministerpräsidenten Malenkow ausgedehnt, nachdem dieser 1955 ebenfalls gestürzt und 1957 als Mitglied einer „parteifeindlichen Gruppe" – zu der auch Molotow gehörte –, aus dem Politbüro ausgeschlossen worden war. Als 1961 auf dem 22. Parteitag der KPdSU diese Gruppe erneut verurteilt wurde, wiederholte Chruschtschow seinen Vorwurf[291]. Auf der anderen Seite ist festzuhalten, daß Semjonow, der demnach die DDR „verkaufsreif" machen sollte, niemals gemaßregelt wurde und seine Diplomatenkarriere in allen Ehren bis auf den heutigen Tag fortgesetzt hat. Für Richard Löwenthal ist diese Tatsache „zwingender Beweis" dafür, daß sein Auftrag nicht von Berija allein und auch nicht von Berija und Malenkow, sondern vom Politbüro gekommen war. Was am 17. Juni scheiterte, war nach Meinung Löwenthals ein offizielles Experiment der sowjetischen Politik und keine private Intrige einzelner sowjetischer Führer. Jenen, die daraus schließen, daß der 17. Juni die entscheidende Ursache dieses Scheiterns war, gibt er allerdings zu bedenken, daß

> „ein solcher Schluß sich auf den unmittelbaren Anlaß der sowjetischen Wendung konzentrieren und den eigentlichen ursächlichen Faktor übersehen [würde] – die Starrheit der westlichen, auch der westdeutschen Außenpolitik in den kritischen Monaten nach Stalins Tod. Speziell im Falle der Bundesrepublik handelt es sich hier nicht um ein Versagen aus Unfähigkeit, sondern um eine mit vollem Bewußtsein betriebene Politik ihres ersten Kanzlers [...] Die deutsche Teilung [wurde] festgeschrieben – und damit zum Schlußstein der Teilung Europas."[292]

11. Rückblick auf die Jahre 1952/53: Adenauers Politik der bedingungslosen Westbindung

Blickt man auf die Jahre 1952/53 zurück, was kann man Adenauer vorwerfen? Nach Meinung von Hans-Peter Schwarz „allenfalls [...], daß er in der Konstellation der Jahre 1952 bis 1953 auf Sicherheit gespielt hat und sich nicht auf ein Temporieren bei den Westverträgen einließ". Was auch immer Schwarz mit „Temporieren" meint, er macht sogleich die Einschränkung, „mehr hätte ein deutscher Kanzler damals noch nicht riskieren können, und selbst dies wäre nicht einfach gewesen."[293] Einfach war nur der Weg in die Westintegration, auch wenn es dabei so manches Problem im Detail gab, das Adenauer mit taktischer Finesse löste. Der Weg der Westbindung war das, was die Westmächte wollten. Jeder andere Weg wäre für einen deutschen Politiker schwieriger gewesen, im Sinne der Einheit aber doch wohl lohnender. Ein Versuch auf diesem Weg wäre daher schon sehr viel wert gewesen, der deutsche Kanzler hätte jedenfalls mehr riskieren können – wenn er gewollt hätte.

Dieser Versuch ist nicht gemacht worden, denn, so H.-P. Schwarz, „bei nüchterner Lagebeurteilung sprach die politische

Vernunft eben doch dafür, lieber den Spatzen in der Hand zu behalten als nach der Taube der Wiedervereinigung zu haschen, die fern auf dem Dach saß".[294] – Was zu bezweifeln wäre, denn – sprach die politische Vernunft wirklich dafür, und saß die Taube wirklich so fern auf dem Dach? 1952 hätte Adenauer den Versuch ohne Gefahr machen können, als Außenminister Acheson das Gespräch mit den Sowjets beginnen wollte – auch wenn dieser damit andere Absichten verfolgte.

Adenauer hatte in der prekären Unsicherheit des Korea-Sommers 1950 die Einmaligkeit der historischen Situation erkannt, das neugewonnene Gewicht der Bundesrepublik voll in die Waagschale geworfen und mit seinem Angebot deutscher Soldaten die große Politik in einem entscheidenden Punkt beeinflußt. Das Ergebnis war der prinzipielle Beschluß der Westmächte für den westdeutschen Wehrbeitrag. Bis zum Frühjahr 1952 hatte die deutsche Karte – trotz Fortdauer des Besatzungsstatuts – weiter entscheidend an Gewicht gewonnen; ohne die bis zu diesem Zeitpunkt betriebene Politik wäre das sowjetische Angebot wohl nicht gekommen. Insofern ist diese Politik bis zu diesem Punkt eindeutig zu bejahen – auch wenn das Ziel nicht die Wiedervereinigung war –, wobei allerdings auch zu bedenken ist, daß erst mit dem deutschen Wehrbeitrag die Bundesrepublik im westlichen Verteidigungssystem jene Position erhielt, die aufzugeben die Westmächte von sich aus nicht mehr bereit waren. Als dann aber Stalins Angebot kam, hätte Adenauer die Karte spielen können, ja, im nationalen Interesse spielen müssen. Selbst wenn das Ergebnis nur darin bestanden hätte, den Beweis dafür zu erbringen, daß das Angebot nur eine „Finte" war, wäre viel gewonnen gewesen, nicht zuletzt wäre, um noch einmal Carlo Schmid zu zitieren, „manchem heutigen, um die Zukunft Deutschlands besorgten Vaterlandsfreund der nostalgische Rückblick auf das Jahr 1952 erspart geblieben"[295], würde uns diese Note nicht noch nach mehr als dreißig Jahren weiter verfolgen, eine Wirkung, die damals von Adenauer offensichtlich nicht vorhergesehen worden ist. Wir kennen das Ergebnis seiner damaligen Politik: Die Geschichte der Bundesrepublik wurde ein einziger Erfolg, aber der Preis dafür ist die fortdauernde Teilung des Landes. Adenauer schlug mit seiner Politik das Tor zur Einheit endgültig zu. Der gleiche Erfolg, das gleiche Maß an Freiheit, allerdings für *alle* Deutschen, in einem *vereinten* Deutschland? Hätte dies nicht in jedem Fall den Versuch wert sein müssen? Die

Gründe, warum Adenauer so und nicht anders entschied, sind ausführlich erörtert worden. Wenn Adenauer jemals daran geglaubt hat, der Sowjetunion aus einer Position der Stärke heraus eines Tages die Bedingungen für eine Wiedervereinigung, möglicherweise sogar für eine Neuordnung Osteuropas, diktieren zu können, sie zur Aufgabe ihrer Kriegsbeute ohne Gegenleistung – gar unter Berufung auf Rechtspositionen, so als ob man keinen Krieg verloren hätte[296] –, d. h. zur Kapitulation zwingen zu können, dann war dies schon damals genauso eine Illusion wie die Hoffnung, bei dieser Politik im Vertrauen auf den Artikel 7 des Deutschlandvertrages auch noch auf die Unterstützung der Westmächte rechnen zu können. Die Westmächte hatten kein ernsthaftes Interesse an einer Wiedervereinigung, ganz zu schweigen von möglichen Korrekturen der Oder/Neiße-Linie oder gar der Rückgabe der verlorenen Ostgebiete – die Oder/Neiße-Linie war ein Thema, das für die Westmächte seit Potsdam de facto erledigt war, öffentlich aber weiter benutzt wurde, um bei den Deutschen falsche Hoffnungen am Leben zu erhalten und vor allen Dingen Verhandlungen mit der Sowjetunion zu verhindern. Die öffentlichen Bekenntnisse der Westmächte zur Wiedervereinigung waren denn auch lediglich Lippenbekenntnisse, nicht mehr als diplomatische Pflichtübungen. Intern sahen ihre Überlegungen dann auch anders aus – nämlich so, wie es z. B. die Mehrheit jener Gruppe hochrangiger Beamten in der denkwürdigen Sitzung am 1. April 1952 im State Department ausgesprochen hatte. Den Westmächten ging es in erster Linie darum, die Westdeutschen militärisch und ökonomisch so an sich zu binden, daß, wie es Präsident Eisenhower im Dezember 1953 einmal formulierte, „sie nicht mehr ausbrechen können"[297]. Man hielt die Teilung und mit ihr die Westbindung der Bundesrepublik für die beste Lösung der deutschen Frage, nur konnte dies mit Rücksicht auf die öffentliche Meinung in (West-)Deutschland niemand laut sagen. In den öffentlichen Verlautbarungen, ja selbst im Deutschlandvertrag verpflichtete man sich zwar zu einer Politik der Wiedervereinigung, knüpfte dies aber gleichzeitig ganz bewußt – und ganz im Sinne Adenauers – an Bedingungen, von denen man wußte, daß sie für die Sowjetunion unannehmbar waren.

Blickt man auf die EVG, so ist erstaunlich, daß Adenauer bis zuletzt an ihr festhielt, obwohl sich bereits 1952 die Anzeichen dafür mehrten, daß Frankreich den EVG-Vertrag nicht ratifizieren würde. Das Votum der französischen Nationalversammlung am 30. August 1954 traf ihn schwer, er hat damals nicht umsonst an Rücktritt gedacht.

Über den westeuropäischen Bundesstaat ließe sich notfalls diskutieren, die „Ersatzlösung" aber, nämlich die Aufnahme der Bundesrepublik in die NATO, war den Preis, zuvor alle Chancen zur Wiedervereinigung abgewürgt zu haben, erst recht nicht wert. Daß es Adenauer gelang, seine Politik der Westintegration als den einzig möglichen Weg (west-)deutscher Politik und gleichzeitig einzigen und kürzesten Weg zur Wiedervereinigung mehrheitsfähig zu machen – woran selbst die Amerikaner 1952 zweifelten –, war eine bemerkenswerte Leistung. Es war gleichzeitig *die* Lebenslüge der Bundesrepublik, mit der die Bevölkerung allerdings, ganz im Sinne der Bonner Politik, leicht fertig wurde. Der angeblich drohende Kommunismus, der Eiserne Vorhang, die Verteidigung von Freiheit und neuem Wohlstand: Man ließ sich gern beruhigen. Man arrangierte sich schnell im „Provisorium" und stellte als Ausdruck gesamtdeutscher „Gewissensnot" im Gedenken an die „Brüder und Schwestern in der Zone" einmal im Jahr Kerzen in die Fenster. Diese Zeiten sind vorbei, das Thema „Lebenslüge" wird von einer neuen Generation wohl neu diskutiert werden. Auf die Antworten darf man gespannt sein.

Zwei Tage nach dem Beitritt der Bundesrepublik zur NATO äußerte Adenauer in Paris die Überzeugung: „Wir sitzen nun im stärksten Bündnis der Geschichte. Es wird uns die Wiedervereinigung bringen."[298]

Falls er wirklich daran geglaubt hat, sollte er sich wieder irren. Westintegration und Wiedervereinigung waren zwei Dinge, die sich gegenseitig ausschlossen. In den internen Gesprächen der Westalliierten wurde dies immer wieder mit großer Offenheit genau so formuliert[299]. Die Kritiker Adenauers haben immer wieder darauf hingewiesen, und es ist in der Tat nur schwer vorstellbar, daß sich Adenauer über die Konsequenzen seiner Politik nicht im klaren war.

Was vor dem NATO-Beitritt vielleicht möglich gewesen wäre, wurde nun, für jeden einsichtig, mehr und mehr zur Illusion. Was Adenauer als wichtige Etappe auf dem Weg zur Wiedervereinigung darstellte, wurde für die Westmächte zum Endziel. Die Sieger richteten sich auf eine Koexistenz auf der Basis des geteilten Deutschland ein. Die Zeit arbeitete von nun an erst recht nicht mehr *für* – wie von Adenauer möglicherweise erwartet –, sondern *gegen* die Wiedervereinigung.

1955 war er denn auch davon überzeugt, daß man in dieser Frage in jedem Fall einen langen Atem brauche[300]. Er versuchte, von seiner Politik zu retten, was zu retten war. Was dann tatsächlich folgte, war ein einziges Rückzugsgefecht. Es endete am 13. August 1961 mit dem Bau der Mauer in Berlin. Daß sich Adenauer 1952 „amerikanischer als die Amerikaner" verhalten hatte, wovor Jakob Kaiser ihn in der Kabinettssitzung am 11. März gewarnt hatte[301], dies hatte sich endgültig nicht ausgezahlt. Die Teilung der Nation wurde im wahrsten Sinne des Wortes zementiert und zu einem stabilen Element in einer instabilen Welt – und so von den Westmächten und der Sowjetunion akzeptiert. Dies wurde nun auch jenen schmerzlich bewußt, die ihre Hoffnung in die Westmächte gesetzt hatten. Der Vorsitzende der CDU/CSU Bundestagsfraktion, Heinrich Krone, schrieb am 18. August 1961 in sein Tagebuch: „Die Stunde der großen Desillusion. Das deutsche Volk hatte vom Westen mehr als eine Protestnote erwartet. Stimmen werden laut, die das Vertrauen in den Westen anzweifeln"[302]. Am Jahresende 1961 zog er eine bittere Bilanz:

> „An der Mauer entlang ist Deutschland getrennt, verläuft die Grenze des kommunistischen Ostens gegen die freie Welt. Und – was wir immer nicht glauben wollten, die amerikanische Politik nimmt diese Grenze zur Kenntnis. Was später einmal ist, daß die Westmächte uns in Verträgen versprochen haben, daß sie nicht rasten würden, bis Deutschland wieder ein Volk und ein Land ist, das alles hat im Augenblick keine aktive Bedeutung."

Auch das Urteil über die Westdeutschen fiel hart aus: „Wir müssen aufhören zu schlafen. Wir verfetten in unserem Wohlstand, und drüben verhungern die Deutschen an Leib und Seele"[303].

Für alle ersichtlich war nun das eingetreten, was der CDU-Politiker Ernst Lemmer im Mai 1952 in einer fraktionsinternen Diskussion im Zusammenhang mit der Grundsatzentscheidung für die Westverträge und gegen die Stalin-Note prophezeit hatte: „Das Jahr 1952 wird als das Jahr der historischen Teilung Deutschlands in die Geschichte eingehen."[304]

Deutschland liegt – eine Binsenwahrheit – „mitten in Europa", und diese Mitte Europas war bis 1945 geprägt von Scheitern, Versagen und Bankrott deutscher Politik. Am Ende der deutschen Hybris stand die Katastrophe, die Nemesis der

Macht. Daraus leitete sich Adenauers Grundsatzentscheidung ab, das Gesicht der (West-)Deutschen endgültig nach Westen zu wenden: Sein Ziel war die bedingungslose Westbindung. Er ist darin so erfolgreich gewesen, daß demnächst eine mehrbändige „Geschichte der Bundesrepublik Deutschland" abgeschlossen vorliegen wird, wohl auch bald in Bonn ein „Haus der Geschichte der Bundesrepublik Deutschland" zu besichtigen sein wird, initiiert von einem Bundeskanzler, der sich als „Enkel" Adenauers versteht. Dazu paßt auch, daß die diplomatischen Vertreter der Bundesrepublik im Ausland jeweils am 23. Mai, auf Weisung des Auswärtigen Amts, zum Empfang laden: die Suche eines Landes nach Identität, der 23. Mai als – verfehlter – Ersatz für einen Nationalfeiertag. Deutschland aber ist mehr als nur die Bundesrepublik Deutschland, Deutschland gehörte und gehört zu West *und* Ost. Die Deutschen nach 1945 bedrohten den Frieden nicht mehr, die Mittellage Deutschlands mußte nach 1945 kein Fluch sein, sondern hätte im Ost-West-Konflikt eine friedenspolitische Chance sein können. Mußte von daher Adenauers Grundsatzentscheidung nicht schon in den fünfziger Jahren in Zweifel gezogen werden? War es nicht in erster Linie eine Entscheidung im Interesse der westlichen Sieger? 1952/53 wäre ein anderer Weg wohl möglich gewesen – aber nicht einmal der Versuch ist gemacht worden.

Den Preis für Adenauers Entscheidung mußten letztlich, um dies noch einmal zu betonen, die 18 Millionen Mitteldeutschen bezahlen. Auch wenn Adenauer dies wohl nicht gewollt hat, dies bleibt eine Tatsache, die von jenen, die seine Politik vorbehaltlos bejahen, allzu oft verschwiegen wird. Vor allen Dingen – aber nicht nur – unter diesem Aspekt war die Entscheidung von damals eine so folgenschwere Entscheidung.

Die Schlachten der fünfziger Jahre sind geschlagen, die Wiedervereinigung Deutschlands ist kein aktuelles Thema mehr, steht nicht als dringendes Problem auf der Tagesordnung der Weltpolitik. Dennoch: Die „Stalin-Note" gehört nicht zu einer abgeschlossenen Epoche deutscher Nachkriegsgeschichte, sie bleibt ein unbewältigtes nationales Problem. Nichts zeigt dies besser als eine im Jahre 1984 vom Institut Allensbach durchgeführte repräsentative Umfrage. Demnach sprachen sich 53 Prozent der bundesdeutschen Bevölkerung über 16 Jahre für eine Wiedervereinigung in einem blockfreien Deutschland aus, einem Deutschland, wie es Stalin 1952 angeboten hatte[305].

Aus einem solchen Umfrageergebnis sollte man dennoch nicht zuviel hermachen – die harten Fakten des Ost-West-Verhältnisses schlagen heute allemal stärker zu Buche als alle deutsch-deutsche Nostalgie. Es kann heute nur noch um ein geregeltes Neben- und – hoffentlich – Miteinander der beiden deutschen Staaten gehen. Geschichtlich versäumte Gelegenheiten kehren nicht wieder.

Und doch sei am Schluß eine Spekulation erlaubt: Auch wenn DDR und Bundesrepublik im Jahre 1985 nicht mehr mit jenen „Provisorien" des Jahres 1952 vergleichbar sind und sich die internationalen Rahmenbedingungen grundlegend geändert haben, bleibt abzuwarten, ob sich die Geschichte in diesem Fall nicht doch wiederholt, ob sich eine westdeutsche Regierung nicht eines Tages in eine ähnliche Situation wie Adenauer 1952 gestellt sieht, und wie die Entscheidung dann ausfallen wird. Die sowjetische Politik hat einen langen Atem; wenn überhaupt jemand die „deutsche Karte" noch ausspielen kann, dann wohl nur die Sowjetunion.

Anmerkungen

1 Note der sowjetischen Regierung an die Regierungen Großbritanniens, Frankreichs und der USA (Dok. 7).

2 *Hans-Peter Schwarz* (Hrsg.), Die Legende von der verpaßten Gelegenheit. Die Stalin-Note vom 10. März 1952 (= Rhöndorfer Gespräche, Bd. 5), Stuttgart/Zürich 1982, S. 13 (zit. Rhöndorfer Gespräche, 5). Der Titel dieser Tagungspublikation suggeriert einen Befund, der mit den Diskussionsbeiträgen – insbesondere der Zeitzeugen – nur zu einem geringen Teil übereinstimmt.

3 Rhöndorfer Gespräche, 5, S. 82.

4 *Paul Sethe*, Zwischen Bonn und Moskau, Frankfurt 1956.

5 Deutscher Bundestag, Stenograph. Berichte, 3. Wahlperiode, 9. Sitzung, S. 297–419.

6 So *Wilhelm Grewe* in der FAZ, 10. 3. 1982, S. 11.

7 *Konrad Adenauer*, Erinnerungen, 2, Stuttgart 1966, S. 265.

8 *Carlo Schmid*, Erinnerungen, Bern/München/Wien 1979, S. 527.

9 *Hans Buchheim*, Die Legende von der verpaßten Gelegenheit, in: FAZ, 15. 4. 1969; *Jürgen Weber*, Das sowjetische Wiedervereinigungsangebot, in: Aus Politik und Zeitgeschichte, Nr. 50, 1969; dazu die Kontroverse zwischen *G.W. Zickenheimer* und *J. Weber*, ebda., Nr. 40, 1970, S. 35–37, S. 37–40; *Wolfgang Wagner*, Wiedervereinigung Modell 1952. Der Versuch einer Legendenbildung in der deutschen Innenpolitik, in: Wort und Wahrheit, 13, 1958, S. 175 ff.; *Gerhard Wettig*, Der publizistische Appell als Kampfmittel: Die sowjetische Deutschland-Kampagne vom Frühjahr 1952, in: *G. Wettig*, Politik im Rampenlicht, Frankfurt 1967, S. 136–184; Wettig bekräftigt seine Haltung in seinem neuesten Beitrag: Wiedervereinigungsangebot oder Propagandaaktion, in: Deutschland Archiv 2, 1982, S. 130–148, ebenso wie *Hans Buchheim*, Deutschlandpolitik 1949–1972. Der politisch-diplomatische Prozeß, Stuttgart 1984, S. 56–65, der hier polemisiert, nicht einmal die neueste Literatur zum Thema zur Kenntnis nimmt und von „Wunschvorstellungen wie Verdächtigungen" spricht: „Hier operieren die Leute, die die Wirklichkeit nicht wahrhaben wollen, hier entstehen die Legenden der privaten Lebensgeschichte einzelner wie auch der Geschichte der Nation und der Völker". (S. 65).

10 *Boris Meissner*, Rußland, die Westmächte und Deutschland. Die sowjetische Deutschland-Politik 1943–1953, Hamburg 1953, ²1954; *ders.*, Die Sowjetunion und die deutsche Frage 1949–1955, in: *Dietrich Geyer* (Hrsg.), Sowjetunion. Außenpolitik 1917–1955 (= Osteuropa-Handbuch), Köln/Wien 1972, S. 449–501.

11 *Richard Löwenthal*, Vom Kalten Krieg zur Ostpolitik, Stuttgart 1974, S. 17 f. und in der Einleitung zu: *Arnulf Baring*, Der 17. Juni 1953, Stuttgart 1983.

12 *Klaus Erdmenger*, Das folgenschwere Mißverständnis. Bonn und die sowjetische Deutschlandpolitik 1949–1955, Freiburg 1967; *Gerd Meyer*, Die sowjetische Deutschland-Politik im Jahre 1952, Tübingen 1970.

13 Träume vom Deutschen Reich, in: DIE ZEIT, Nr. 42, 12. 10. 1984, S. 77.

14 *Andreas Hillgruber*, Adenauer und die Stalin-Note vom März 1952, in: *D. Blumenwitz u. a.* (Hrsg.), Konrad Adenauer und seine Zeit, Bd. 2, Stuttgart 1976, S. 111–130. In seinem interessanten Beitrag über „Das Deutschlandbild und die Deutschlandpolitik Josef Stalins" (Deutschland Archiv, 12, 1979, S. 1258–1282) betont *Wolfgang Pfeiler*: „Die Ernsthaftigkeit dieser diplomatischen Aktion wurde politisch koordiniert. Das drückt sich schon in der politischen Sprache aus: Unter Stalin, Malenkow, Berija und Suslow wurden alle Äußerungen über Deutschland danach differenziert, ob man von der Gegenwart oder von der Zukunft sprach. Für die Gegenwart gebrauchte man die Begriffe ‚Westdeutschland' und ‚DDR', für die Zukunft nur den Begriff ‚Deutschland'. Auch 1952 in Omsk gedruckte Landkarten zeigen keine Zonengrenzen mehr und kennen nur die Bezeichnung ‚Deutschland', das allerdings schon damals nur bis zur Oder-Neiße-Linie reichte. In einem Interview vom 31. 3. 1952 wurde die diplomatische Note von Stalin dann persönlich autorisiert, und auch die Losungen zum 1. Mai 1952 räumten der Deutschlandregelung eine Priorität ein, die es dafür weder früher noch später gegeben hatte". (S. 1280).

15 *Hermann Graml*, Nationalstaat oder westdeutscher Teilstaat. Die sowjetischen Noten vom Jahre 1952 und die öffentliche Meinung in der Bundesrepublik Deutschland, in: Vierteljahreshefte für Zeitgeschichte, 25, 1977, S. 821–864.

16 *Hermann Graml*, Die Legende von der verpaßten Gelegenheit. Zur sowjetischen Notenkampagne des Jahres 1952, in: Vierteljahreshefte für Zeitgeschichte, 29, 1981, S. 340 f. (zit. Graml 2).

17 Rhöndorfer Gespräche, 5, S. 52 ff., 47, 67.

18 Ebda., S. 58 ff. Die Rede Ulbrichts wurde am 10. Juni 1960 im „Neuen Deutschland" abgedruckt; auch in: Dokumente zur Deutschland-Politik, IV. Reihe, Bd. 4, 2. Halbbd., S. 1134.

19 Rhöndorfer Gespräche, 5, S. 62.

20 Ebda.

21 Ebda., S. 74, 82, 89.

22 Ein zählebiger Mythos: Stalins Note vom März 1952. Der Irrtum über die „verpaßte Gelegenheit" zu einer deutschen Wiedervereinigung, FAZ vom 10. 3. 1982. Wilhelm Grewe, Jahrgang 1911, war seit 1951 enger politischer Berater Konrad Adenauers, zunächst als Leiter der deutschen Delegation für die Verhandlungen zur Ablösung des Besatzungsstatuts. An der Ausarbeitung des EVG-Vertrages und der

Pariser Verträge vom Oktober 1954 war er maßgeblich beteiligt; zusammen mit Herbert Blankenhorn leitete er die Beobachterdelegation der Bundesregierung bei der Viermächte-Außenministerkonferenz in Berlin im Januar/Februar 1954 und war u. a. auch auf der Außenministerkonferenz in Genf 1959 vertreten. Er war dann bis zu seiner Pensionierung 1976 Botschafter in Washington, bei der NATO und in Tokio.

23 Rhöndorfer Gespräche, 5, S. 54f.

24 Vgl. Anm. 22.

25 Kanadische Botschaft in Moskau an Außenminister Lester Pearson in Ottawa, 26. 7. 1952 (Dok. 129).

26 *Rolf Steininger*, Deutsche Geschichte 1945–1961, Darstellung und Dokumente in zwei Bänden, Frankfurt 1983, 1984/85[2] (Fischer TB), S. 410f. sowie mein Beitrag in: *Josef Foschepoth* (Hrsg.), Kalter Krieg und Deutsche Frage. Deutschland im Widerstreit der Mächte 1945–1952, Göttingen 1985, S. 362–379.

27 Verpaßte Chancen für die Abwendung unserer Teilung? in: DIE ZEIT, Nr. 17, 20. April 1984, S. 15.

28 Es heißt dort: „Nenni fragt, welche Rolle Deutschland in der allgemeinen internationalen Lage spiele. Stalin antwortet, die Wiederaufrüstung in Westdeutschland bringe große Probleme hervor; (West-)-Deutschland sei aber weniger angriffslüstern, als die Amerikaner annehmen würden. Außerdem müßte Westdeutschland sich nicht nur mit Ostdeutschland, sondern auch mit der Sowjetunion messen, wenn es zu einem Krieg kommen sollte; die Deutschen hätten gelernt, was das bedeutet." Die deutsche Übersetzung wurde freundlicherweise von Herrn Dr. Gerd Bucerius zur Verfügung gestellt.

29 „Nenni and Stalin", in: The New Statesman and Nation, 22. 9. 1952.

30 Vgl. Anm. 27.

31 Das Gespräch Stalin-Nenni sollte übrigens in der Debatte zur Ratifizierung der Westverträge noch eine Rolle spielen. Am 28. März 1953 erschien in der ZEIT ein Leitartikel „Auf krummen Wegen. Geheimabmachung über die endgültige Spaltung Deutschlands" des früheren Bundespressechefs Paul Bourdin, der für einiges Aufsehen sorgte. Darin hieß es u. a., ein hoher westlicher Diplomat habe Kingsbury Smith, den international angesehenen Direktor der amerikanischen Nachrichtenagentur „International News Service" – und geschätzten Interviewpartner Adenauers – an das Gespräch Nenni–Stalin erinnert. Und weiter: „Unmittelbar nach seiner Unterhaltung mit Stalin suchte Nenni den italienischen Botschafter in Moskau, Baron Mario di Stefano, auf und berichtete ihm: Stalin betrachte jeden weiteren diplomatischen Meinungsaustausch mit den Westmächten über Deutschland lediglich noch als ‚ein propagandistisches Hilfsmittel am Rande', da er zu der Auffassung gelangt sei, daß es unmöglich geworden sei, die Teilung Deutschlands in zwei Teile auf einer

ständigen Grundlage zu verhindern. Daher sei es notwendig, ,die Formel eines wiedervereinigten Deutschland' durch die neue Formel zweier völlig getrennter deutscher Staaten zu ersetzen, die ,militärische und ideologische Gegengewichte zueinander' bilden würden." Zur Kontroverse um diesen Artikel vgl. *Arnulf Baring*, Außenpolitik in Adenauers Kanzlerdemokratie, München 1969, dtv-Ausgabe, Bd. 2, S. 243–250. Joseph und Stewart Alsop haben im August 1952 ebenfalls ein Gespräch mit Nenni geführt und in der „New York Herald Tribune" veröffentlicht; es entspricht den oben gemachten Ausführungen. *Herbert Blankenhorn*, Verständnis und Verständigung. Blätter eines politischen Tagebuches 1949–1979, Berlin 1980, S. 136, verweist unter dem Datum 12. 8. 1952 auf dieses Gespräch.

32 „Rebuilding the republic", u. a. Besprechung meiner „Deutschen Geschichte", in: Times Literary Supplement, 17. 8. 1984, S. 921.

33 Graml, 2, S. 333.

34 J. Daridan in Washington an Quai d'Orsay, 28. 6. 1952 (Dok. 127).

35 Vgl. Anm. 27.

36 So Gerd Bucerius in einem Brief vom 16. 2. 1984 an den Verf.; so auch Wilhelm Grewe in der ZDF-Sendung „Zeugen des Jahrhunderts" am 19. 12. 1983.

37 Der Briefwechsel wurde dem Verf. freundlicherweise von Dr. Gerd Bucerius zur Verfügung gestellt.

38 Vgl. Anm. 27.

39 Siehe weiter unten, S. 103; G. F. Kennan in Moskau an D. Acheson, 27. 8. 1952 (Dok. 134).

40 *Wilfried Loth*, Die Teilung der Welt 1945–1955, München 1980, S. 287.

41 So vor allem *Weber*, S. 13 f., S. 22 ff.; *Bürger, Wettig*; auf die kommunistische Terminologie weist besonders auch *Grewe*, Rückblenden, S. 412 f., hin.

42 Zit. nach *G. Wettig*, Politik im Rampenlicht, S. 156 f.

43 Vgl. Anm. 13.

44 P. Bonsal in Paris an D. Acheson, 14. 3. 1952 (Dok. 26).

45 S. Reber in Bonn an D. Acheson, 2. 6. 1952 (Dok. 121).

46 G.F. Kennan in Moskau an D. Acheson, 25. 5. 1952 (Dok. 114).

47 Vgl. Anm. 45.

47a So der Vorwurf Jakob Kaisers im Kabinett; von McCloy – der keinen Namen nennt – überliefert; vgl. Dok. 53.

48 *Wilhelm Grewe*, FAZ, 10. 3. 1982; so auch beim Rhöndorfer Gespräch, vgl. Rhöndorfer Gespräche, 5, S. 41 f.

49 *Theodor Schieder*, Handbuch der europäischen Geschichte, Bd. 7, Stuttgart 1979, S. 341.

50 Darüber ist schon viel geschrieben worden. Um nur einige Darstellungen zu nennen: An erster Stelle die klassische Studie von *Arnulf Baring*, vgl. Anm. 31; *Waldemar Besson*, Die Außenpolitik der Bun-

desrepublik, München 1970; *Paul Noack*, Die Außenpolitik der Bundesrepublik Deutschland, Stuttgart 1981[2]; die Beiträge in den Sammelbänden von *Richard Löwenthal/Hans-Peter Schwarz* (Hrsg.), Die zweite Republik. 25 Jahre Bundesrepublik Deutschland. Eine Bilanz, Stuttgart 1974, 1979[3]; *Dieter Blumenwitz u. a.* (Hrsg.), Konrad Adenauer und seine Zeit. Politik und Persönlichkeit des ersten Bundeskanzlers, Bd. 2: Beiträge der Wissenschaft, Stuttgart 1976; Konrad Adenauer. Seine Deutschland- und Außenpolitik 1945–1963, München 1975 (dtv-Taschenbuch; darin insbesondere die Beiträge von *Rudolf Morsey*, Der politische Aufstieg Konrad Adenauers 1945–1949; *Hans-Peter Schwarz*, Das außenpolitische Konzept Konrad Adenauers, sowie *Klaus Gotto*, Adenauers Deutschland- und Ostpolitik 1954–1963); zuletzt *Hans-Peter-Schwarz*, Die Ära Adenauer 1949–1957 (= Geschichte der Bundesrepublik Deutschland, Bd. 2), Stuttgart/Wiesbaden 1981. In fast allen Darstellungen nimmt die Stalin-Note einen breiten Raum ein; sehr zurückhaltend wird die mit der Note zusammenhängende Problematik bei *Schwarz*, Ära Adenauer, behandelt. Zur Grundsatzentscheidung Adenauers die profunde Analyse von *Andreas Hillgruber* anhand der „Erinnerungen" und zeitgenössischer Äußerungen Adenauers (vgl. Anm. 14).

51 *Baring*, Kanzlerdemokratie, Bd. 1, S. 257.

52 Vgl. *Peter Berglar*, Konrad Adenauer. Konkursverwalter oder Erneuerer der Nation? Göttingen 1975, S. 102; zit. bei *Hillgruber*, S. 124.

53 Zit. bei *Dieter Koch*, Heinemann und die deutsche Frage, München 1972, S. 324.

54 Die Welt, 14. 5. 1984.

55 Die Rede Adenauers in: Verhandlungen des Deutschen Bundestages, Stenograph. Berichte, 1. Wahlperiode 1949, S. 8095 ff., Hervorhebung vom Verf. Die Rede ist auch teilweise abgedruckt bei *Klaus v. Schubert*, Sicherheitspolitik der Bundesrepublik Deutschland. Dokumentation 1945–1977, T. 1, Köln 1978, S. 117 ff.

56 Verhandlungen des Deutschen Bundestages, Stenograph. Berichte, 1. Wahlperiode 1949, S. 8108 ff.; auch bei *Schubert*, S. 123 ff.

57 Bulletin des Presse- und Informationsamtes der Bundesregierung, Nr. 26 vom 4. 3. 1952, S. 254.

58 Bulletin des Presse- und Informationsamtes der Bundesregierung, Nr. 27 vom 6. 3. 1952, S. 262. Die Zitate zuerst bei *Baring*, S. 258; auch bei *Hillgruber*, S. 120 f.

59 Siegener Zeitung vom 17. 3. 1952; zit. bei *Hillgruber*, S. 113 f. Im Archiv für Christlich-Demokratische Politik der Konrad-Adenauer-Stiftung gibt es leider keine Unterlagen über diese Rede. (Freundl. Auskunft von Archivleiter Dr. Klaus Gotto.)

60 *Hermann Pünder*, Von Preußen nach Europa. Lebenserinnerungen, Stuttgart 1968, S. 488 (stenograph. Tagebuchaufzeichnung vom 25. 3. 1952). Es heißt dort weiter: „Wie üblich, entfernte sich der Bundeskanzler nach seinem etwa halbstündigen Referat sofort, da er zu anderen wichtigen Besprechungen unbedingt fort müsse. Eine Diskussion in seinem Beisein war infolgedessen wieder nicht möglich. Viele maßgebliche Mitglieder unseres Vorstandes waren über Adenauers Ausführungen keineswegs erbaut, der übliche Höflichkeitsbeifall beim Schluß seines Referates war daher auch bemerkenswert dünn. In meiner nächsten Umgebung waren die Kollegen v. Brentano, Lemmer, Friedensburg, Tillmanns, Kiesinger, Bausch und Bucerius in ihrer kritischen Haltung völlig einig."

61 Rhöndorfer Gespräche, 5, S. 80 und schon zuvor bei *Baring*, Kanzlerdemokratie, 1, S. 257 f.

62 *Adenauer*, Erinnerungen, 1, S. 536.

63 Darauf, daß China 1952 sicherlich noch nicht diesen Stellenwert hatte, hat u. a. *Hillgruber*, S. 130, aufmerksam gemacht.

64 *Adenauer*, Erinnerungen, 2, S. 87 f.

65 *Hans Jürgen Küsters* (Bearb.), Adenauer. Teegespräche 1950–1954, Berlin 1984.

66 Ebda., S. 332.

67 Ebda., S. 299.

68 Ebda., S. 301.

69 Ebda., S. 477.

70 Ebda., S. 509, 526.

71 Ebda., S. 259.

72 Ebda., S. 260, 306, 330.

73 Ebda., S. 260.

74 Ebda.

75 Ebda., S. 308.

76 Ebda., S. 301, 334, 351, 481, 536.

77 *Hillgruber*, S. 125.

78 *Küsters*, Adenauer. Teegespräche, S. 257.

79 Ebda., S. 297.

80 Ebda., S. 297 f.

81 So *Hans-Peter Schwarz*, Ära Adenauer, 1, S. 153 f. und Rhöndorfer Gespräche, 5, S. 56, der sich auf das Tagebuch des damaligen Staatssekretärs im Bundeskanzleramt, Dr. Lenz, stützt.

82 I. Kirkpatrick in Wahnerheide an Foreign Office, 12. 3. 1952 (Dok. 10). Baring, dem offensichtlich das deutsche Protokoll dieser Sitzung vorlag, zitiert den ersten entscheidenden Satz Adenauers folgendermaßen: „Die russische Note wird unsere Politik nicht ändern." *Baring*, Kanzlerdemokratie, 1, S. 255. Vgl. auch *Grewe* in: Rhöndorfer Gespräche 5, S. 40 f.

83 *Adenauer*, Erinnerungen, 2, S. 70.

84 *Wilhelm Grewe*, Rückblenden, Berlin 1979, S. 151; Rhöndorfer Gespräche, 5, S. 41.

85 Bulletin des Presse- und Informationsamtes der Bundesregierung, Nr. 30 vom 13. 3. 1952, S. 305.

86 *Schwarz*, Ära Adenauer, 1, S. 155.

87 Äußerung Kaisers in: FAZ, 17. 3. 1952, zit. bei *Baring*, Kanzlerdemokratie, 1, S. 259; Zitate Baring, ebda., Kanzlerdemokratie, 2, S. 262.

88 Vgl. *Koch*, Heinemann, S. 32ff.

89 Verhandlungen des Deutschen Bundestages, Stenograph. Berichte, 1. Wahlperiode 1949, Sitzung am 3./4. 4. 1952, S. 8794f.

90 Ebda., S. 8769, S. 8777.

91 DUD, 13. 3. 1952.

92 *Schwarz*, Ära Adenauer, 1, S. 140.

93 Memorandum des Foreign Office, 1. 6. 1951 (Dok. 3); vgl. weiter unten, S. 56f.

94 Gespräch vom 14. 1. 1952, FO 371/97737.

95 Vgl. hierzu *Steininger*, Deutsche Geschichte, S. 24 sowie Kapitel 7 und 8.

96 Vgl. hierzu und für das Folgende: *Rolf Steininger*, Wie die Teilung Deutschlands verhindert werden sollte. Der Robertson-Plan aus dem Jahre 1948, in: Militärgeschichtliche Mitteilungen, 33, 1983, S. 49–89.

97 Der eingeklammerte Satz ist im Original wieder gestrichen.

98 PPS 37, FRUS, 1948, vol. 2, S. 1287–96.

99 So Patrick Dean, der Leiter der Deutschlandabteilung im Foreign Office, am 2. 9. 1948. FO 371/70628/C6868/154.

100 Marshall am 21. 9. 1948 auf der Außenminister-Konferenz der drei Westmächte in Paris, FRUS, 1948, vol. 2, S. 1178.

101 Abgedruckt bei *Steininger*, Robertson-Plan, S. 83ff.

102 CAB 129/39.

103 „The Future of Germany. The Problem of Unity or Division of Germany". Top Secret, PUSC-Memorandum, 19. 4. 1950 (Dok. 1a). Zur Frage der Wiederbewaffnung im Dezember 1950 vgl. Dok. 2a und 2b.

104 Schreiben von Sir Brian Robertson an Sir William Strang, 6. 5. 1950, Top Secret (Dok. 1b).

105 *Steininger*, Deutsche Geschichte, S. 429.

106 *Besson*, Außenpolitik, S. 118.

107 Vgl. *Steininger*, Deutsche Geschichte, S. 301.

108 Bundesministerium für gesamtdeutsche Fragen (Hrsg.), Die Bemühungen der Bundesrepublik um Wiederherstellung der Einheit Deutschlands durch gesamtdeutsche Wahlen, Bonn 1958[4], S. 21f.

109 Tagebucheintragung von Hugh Dalton vom 20. 12. 1950; vgl. *Alan Bullock*, Ernest Bevin, Foreign Secretary 1945–1951, London 1983, S. 829.

110 Memorandum des Foreign Office, 1. 6. 1951 (Dok. 3).

111 Vgl. I. Kirkpatrick in Wahnerheide an Foreign Office, 24. und 25. 9. 1951 (Dok. 4 und 5).

112 *Heinrich von Siegler* (Hrsg.), Wiedervereinigung und Sicherheit Deutschlands, Bonn/Wien/Zürich 1958, S. 182f.

113 Kommentar des Vertreters der britischen Hochkommission in Berlin zu dieser Rede: „It left me with the impression of being the speech of a man who not only does not believe in but was also determined not to have all-German elections. All very splendid so long as the German public did not feel the same way". Aufzeichnung vom 8. 10. 1951. FO 1008/4. Der französische Botschafter in London, Massigli, schickte am 12. 10. 1951 folgendes Telegramm an den Quai d'Orsay:

„Einer meiner Mitarbeiter hat vom schweizerischen Geschäftsträger, der die Sowjetunion gut kennt und der Kontakte mit ihren Repräsentanten in London aufrechterhalten hat, ein interessantes Echo über Themen empfangen, die die sowjetischen Diplomaten vor ihm ausgebreitet haben, in der offensichtlichen Absicht, daß sie wiederholt werden, aber nicht ohne daß ihre Worte im vorliegenden Fall tatsächlichen Tendenzen der russischen Politik zu entsprechen scheinen.

Die Hauptsorge Moskaus ist, wenn man ihnen Glauben schenkt, weder der Ferne noch der Nahe Osten, sondern hauptsächlich Deutschland, das für sie aufgrund des Organisationstalents und der Arbeitsleistung der Deutschen eine Gefahr bleibt. Da sie die Wiederherstellung einer aggressiven Militärmacht in Westdeutschland fürchten und nicht glauben, sich wirklich auf Ostdeutschland, das ihnen nichts als Sorgen bereitet, verlassen zu können, wären sie bereit, Ostdeutschland aufzugeben, um die Wiederbewaffnung Westdeutschlands zu verhindern.

Grotewohl würde also, wenn es nötig wäre, geopfert werden, aber das Angebot, das er vermittelt hat, sei ernst, um so mehr, als die Russen die Alliierten schlecht bewaffnet wissen, um sich gegen ihr Manöver zu stellen. Ohne Zweifel würde das für sie anfänglich einen Verlust bedeuten, da das vereinigte Deutschland alle Möglichkeiten hätte, sich dem Westen zuzuneigen und sich vielleicht als Ganzes dem Schuman-Plan anzuschließen.

Aber wenn man nach den Mißerfolgen des Kanzlers Adenauer in der öffentlichen Meinung darüber urteilt, so wird dieses Deutschland sich sicher zur Sozialdemokratie hin entwickeln, mit Koexistenz einer starken Kommunistischen Partei. Es gäbe also von jetzt ab einen Partner, mit dem Moskau sprechen könnte und der vor allem kein Instrument mehr in den Händen des Westens wäre.

Der Nachdruck, mit welchem diese Punkte dem schweizerischen Geschäftsträger gegenüber vorgebracht wurden, verdient meines Erachtens, der Abteilung mitgeteilt zu werden." MAE/Serie EU – 1949–1955 Allemagne, Serie 4, Sousserie 16, Dossier 6: Russie – Allemagne, 1. Juli 1949–31. März 1952. Telegramm-Nr. 3910/12, Vertraulich; Verteiler: Präsident der Republik, Präsident des Rates, Parodi, de la Tournelle, de Bourbon-Busset, Beck.

114 *Siegler*, S. 184.

115 Telegramm O. Harvey an Foreign Office, 12. 11. 1951 (Dok. 6).

116 Vgl. *Löwenthal*, S. 14.

117 Beziehungen DDR-UdSSR 1949 bis 1955, Dokumentensammlung, 1. Halbbd., Berlin [DDR] 1975, S. 338 ff.

118 Aufzeichnung von W.D. Allen, Foreign Office („Soviet Government's Note on a German Peace Treaty"), 11. 3. 1952, mit Anmerkung von F. Roberts (Dok. 5).

119 *Adenauer*, Erinnerungen, 2, S. 87.

120 FAZ, 10. 3. 1982.

121 Rhöndorfer Gespräche, 5, S. 54.

122 Interview mit Sir Frank Roberts am 7. Februar 1985 in London.

123 Protokoll der Sitzung des britischen Kabinetts, 12. 3. 1952 (Dok. 11).

124 A. Eden an britische Botschafter in Washington und Paris, 12. 3. 1952 (Dok. 16).

125 O. Harvey in Paris an A. Eden, 12. 3. 1952 (Dok. 17a).

126 Am 13. März 1952 übergaben die drei Westmächte der Sowjetunion den Entwurf für einen „abgekürzten" Staatsvertrag mit Österreich, der aus einer Präambel und acht Artikeln bestand. Darin sollten sich die vier Besatzungsmächte verpflichten, innerhalb von 90 Tagen nach Inkrafttreten des Vertrags Österreich zu räumen, vor allem aber sämtliche Vermögenswerte, die sie bisher als „Deutsches Eigentum" beansprucht hatten, Österreich zu überlassen. Davon wäre in erster Linie die Sowjetunion betroffen gewesen. Stourzh meint dazu, daß diese Initiative denn wohl auch „mehr auf propagandistische Erfolge denn auf realistische Ergebnisse abgestellt gewesen sein dürfte", da man ernsthaft wohl nicht erwarten konnte, daß die Sowjetunion einen Vertrag unterzeichnen würde, der u. a. ihre verbrieften Rechte am „Deutschen Eigentum" wieder aufhob und keinerlei Militärklauseln enthielt (*Gerald Stourzh*, Kleine Geschichte des österreichischen Staatsvertrags, Graz/Wien/Köln 1975, S. 220). Wie nicht anders zu erwarten, lehnte die Sowjetunion dann auch jegliche Verhandlungen über diesen „abgekürzten Staatsvertrag" ab.

127 O. Harvey in Paris an A. Eden, 13. 3. 1952 (Dok. 22a).

128 Haltung des Quai d'Orsay. Aufzeichnung von Frank Roberts, Foreign Office, 14. 3. 1952, mit Anmerkung von A. Eden (Dok. 23).

129 Aufzeichnung vom 15. 3. 1952. FO 371/97877/C 1074/24.

130 State Department, 662.001/3-1952; auch bei *Graml*, 2, S. 327.

131 Aufzeichnung von Frank Roberts für A. Eden und W. Strang („Soviet Note on Germany"), 15. 3. 1952, mit Kommentar von Strang und Randbemerkungen von Eden (Dok. 29a).

132 A. Gascoigne in Moskau an A. Eden, 14. 3. 1952, mit Kommentaren von Hall, Allen, Hobbly und Roberts sowie Anmerkungen von Eden (Dok. 24a und b).

133 I. Kirkpatrick in Wahnerheide an Foreign Office, 17. 3. 1952 (Dok. 37).

134 O. Harvey in Paris an Foreign Office, 21. 3. 1952 (Dok. 43b) u. Harvey an Foreign Office, Tel. Nr. 178, Immediate, Secret, v. 22. 3. 1952. FO 371/97979/C 1074/42.

135 Siehe auch Dok. 10, Anm. 2.

136 *Adenauer*, Erinnerungen, 2, S. 74.

137 O. Franks in Washington an A. Eden, 13. 3. 1952 (Dok. 19).

138 Vgl. Dok. 9, Anm. 1.

139 J. McCloy in Bonn an D. Acheson, 11. 3. 1952 (Dok. 9).

140 „Initial German reactions to Soviet tripartite notes of March 10, 1952". Eingang im State Department: 14. 3. 1952. 662.001/3.1252; vgl. Dok. 13a, Anm. 2.

141 J. McCloy in Bonn an D. Acheson, 12. 3. 1952 (Dok. 13a).

142 C. Lyon in Berlin an D. Acheson, 15. 3. 1952 (Dok. 31).

143 C. Lyon an D. Acheson, 18. 3. 1952 (Dok. 38).

144 Vgl. oben, S. 28.

145 J. McCloy in Bonn an D. Acheson, 16. 3. 1952 (Dok. 35).

146 H. Cumming in Moskau an D. Acheson, 16. 3. 1952 (Dok. 33).

147 Datum: 14. 3. 1952 (Dok. 27).

148 Datum: 13. 3. 1952 (Dok. 18).

149 Memorandum von J.H. Ferguson, Politischer Planungsstab des US-State Department, für D.Acheson, 18. 3. 1952 (Dok. 41).

150 O. Harvey in Paris an Foreign Office, 21. 3. 1952 (Dok. 43a).

151 Dok. 44.

152 Bericht von J. Titchener, britische Botschaft in Moskau, 25. 3. 1952 (Dok. 45c). Das Gespräch mit dem amerikanischen Geschäftsträger Cumming fand „in völlig entspannter Atmosphäre" statt (H. Cumming in Moskau an D. Acheson, 25. 3. 1952; Dok. 45a). Darüber berichtet *Graml*, 2, S. 329, auf den sich *Wettig*, Die sowjetische Deutschlandnote, 1982, S. 147, bezieht und dies dann folgendermaßen interpretiert: Wyschinski habe sich „höchst befriedigt über die Ablehnung des sowjetischen Konferenzvorschlages gezeigt". So werden die Fakten allerdings auf den Kopf gestellt!

153 A. Eden an O. Harvey in Paris, 26. 3. 1952 (Dok. 46).

154 H. Cumming in Moskau an D. Acheson, 28. 3. 1952 (Dok. 51).

155 Chr. Steel in Washington an F. Roberts, Foreign Office, 3. 4. 1952 (Dok. 58a).

156 J. McCloy in Bonn an D. Acheson, 29. 3. 1952 (Dok. 52).

157 J. McCloy in Bonn an D. Acheson, 29. 3. 1952 (Dok. 53).

158 Memorandum von John H. Ferguson, Politischer Planungsstab des US-State Department, 27. 3. 1952 (Dok. 49).

159 Aufzeichnung von Louis H. Pollak über eine Besprechung im State Department, 1.4.1952 (Dok. 56), teilweise übersetzt bei *Steininger*, Deutsche Geschichte, S. 440 ff.

160 Zwei Plakate sind abgebildet bei *Steininger*, Deutsche Geschichte, S. 173 und S. 412.

161 Schreiben vom 12.4.1952 an Eden. FO 371/97742/C1017/159.

162 Dok. 60.

163 P. Grey in Moskau an Foreign Office, 10.4.1952 (Dok. 62a). Wenige Tage später äußerte sich allerdings der stellv. sowjetische Außenminister Zorin gegenüber amerikanischen Journalisten in Moskau. Die französische Botschaft in Moskau berichtete darüber am 18. April nach Paris, Zorin habe offensichtlich die Gedanken Stalins wiedergegeben. Damit sich die Chancen für den Frieden nicht verringerten, dürfe Deutschland seiner Meinung nach nicht in den Westen integriert werden; das sei der Inhalt der sowjetischen Vorschläge vom 9. April. Daraus folgerte der Vertreter der französischen Botschaft, Chataigneau:
„Die Betonung, die von Herrn Wyschinski auf den letzten Satz der sowjetischen Note gelegt wurde, wie auch die Bemerkungen von Herrn Zorin beleuchten die Bestimmtheit der Moskauer Regierung, Ostdeutschland in den Ostblock zu integrieren, sollte Westdeutschland sich dem Westblock anschließen, das heißt, wenn der Vorschlag zur Einheit jetzt nicht angenommen wird. Anders ausgedrückt, Deutschland bliebe so lange geteilt, bis ein Krieg ihm die Möglichkeit gegeben hätte, seine Einheit wiederherzustellen. So bestrebt die UdSSR auch immer ist, ihre Herrschaft über den Teil Deutschlands, den sie besitzt, zu bewahren, ihn sogar in ihr politisches, wirtschaftliches und militärisches System zu integrieren, so verhindert das nicht weniger, daß sie sich mit einem vereinten Deutschland abfinden und dabei Möglichkeiten für diplomatische Manöver finden würde. [...]
Die sowjetische Initiative geht in Richtung der Überlegungen der Anhänger des Herrn Bevan und versucht, die Neutralisten auf dem Kontinent zu gewinnen. Wenn sie zurückgewiesen wird, wird die Sowjetunion die Verantwortung für die fortdauernde Teilung Deutschlands den Westalliierten zuweisen, was ihr Sympathien bei den Deutschen einbringen wird. Die sowjetische Initiative kann von den drei Westmächten nur dann wirklich angenommen werden, wenn die Sowjetunion zustimmt, sich mit ihnen über die Bedingungen der Organisation und der Ausübung von freien Wahlen ebenso wie über die Anerkennung des Wahlresultats zu verständigen."
Chataigneau, frz. Botschaft Moskau, an Quai d'Orsay, 18.4.1952, Telegramm Nr. 935/42, Vertraulich. MAE/Serie EU 1949–1955 Allemagne, Serie 4, Sousserie 16, Dossier 6: URSS-Allemagne, 1.4. 1952–31.4.1953.

164 P. Grey in Moskau an P. Mason, Foreign Office, 11.4.1952 (Dok. 63).

165 Anmerkungen von A. Brooke Turner, Foreign Office, zur sowjetischen Note vom 9.4.1952, 10.4.1952 (Dok. 61).

166 J. McCloy in Bonn an D. Acheson, 12.4.1952 (Dok. 65).

167 Aufzeichnung von F. Roberts, Foreign Office, 15.4.1952 (Dok. 70).

168 I. Kirkpatrick in Wahnerheide an Foreign Office, 16. und 17.4.1952 (Dok. 74a, 75). *Adenauer* schildert dieses Gespräch ausführlich in: Erinnerungen, 2, S. 91 ff.

169 Dok. 82.

170 Interview Adenauers mit Ernst Friedländer im NWDR, 24.4.1952; zit. nach Bulletin, 26.4.1952. Es hieß dort weiter: „Wenn ich von Politik in größerem Rahmen spreche, so meine ich durchaus nicht, daß Deutschland selbst eine Ostraumpolitik oder überhaupt irgendeine Großraumpolitik betreiben sollte. Wir selbst haben zwei Ziele: Ein vereintes Deutschland und die Vereinigten Staaten von Europa, zunächst nicht mehr als ein Kerneuropa. Ostraumpolitik, Weltpolitik *ist nicht Deutschlands Sache*. Aber es ist die *Sache der Weltmächte*, vor allem der Vereinigten Staaten von Amerika. Im Rahmen dieser Weltpolitik ist durchaus damit zu rechnen, daß auch für die Sowjets die Zeit kommt, Frieden und Abrüstung dem Kalten Krieg und dem ewigen Rüsten vorziehen zu müssen und deshalb vorziehen zu wollen. Es gehört nicht allzuviel Phantasie dazu, sich in einem solchen Rahmen Kompensationsobjekte für die deutsche Einheit in Freiheit vorzustellen."

171 UK-Hohe Kommission an Foreign Office. FO 371/97882/C1074/117.

172 *Kurt Klotzbach*, Der Weg zur Staatspartei. Programmatik, praktische Politik und Organisation der deutschen Sozialdemokratie 1945 bis 1965, Berlin/Bonn 1982, S. 232.

173 *Adenauer*, Erinnerungen, 2, S. 87.

174 Memorandum des US-State Department, 16.4.1952 (Dok. 72a).

175 Kommentare zumUS-Memorandum (vgl. Anm. 174) von J. H. Moore und J. W. Nicholls, Foreign Office, 17. und 18.4.1952 (Dok. 72b).

176 I. Kirkpatrick in Wahnerheide an F. Roberts, Foreign Office, 26.4.1952 (Dok. 85).

177 Anweisung Edens nach dem Gespräch zwischen Vertretern der drei Westmächte in London am 23.4.1952. FO 371/97881/C 1074/102. (Siehe auch Dok. 86c).

178 O. Harvey in Paris an Foreign Office, 19.4.1952 (Dok. 77a).

178a V. Auriol an A. Pinay, 11.4.1952 (Dok. 64).

179 J. Dunn in Paris an D. Acheson, 15.4.1952 (Dok. 69).

180 Secret File, State Department, 662.001/4-1152.

181 D. Acheson an US-Botschaft in London, 30.4.1952 (Dok. 89).

182 J. McCloy in Bonn an D. Acheson, 2.5.1952 (Dok. 9).

183 Dok. 100.

184 *Adenauer*, Erinnerungen, 2, S. 86 f.

185 J. McCloy in Bonn an D. Acheson, 2. 5. 1952 (Dok. 99).

186 I. Kirkpatrick in Wahnerheide an Foreign Office, 2. 5. 1952 (Dok. 97).

187 Dok. 104a. Drei Tage zuvor hatte Massigli aus London an den Quai d'Orsay berichtet:

„Ich hatte vor einigen Tagen die Gelegenheit, einen britischen Journalisten ersten Ranges zu treffen, der gerade aus Bonn zurückgekehrt war, wo er sich mit dem Kanzler und mit zahlreichen Politikern unterhalten hatte. Er hat seine Eindrücke in folgender Formel zusammengefaßt: ‚Im Grunde seines Herzens wünscht Kanzler Adenauer nichts so sehr wie die Aufrechterhaltung der Teilung Deutschlands und die Integration Westdeutschlands in Europa. Davon bin ich überzeugt. Aber ich komme ebenso zurück mit der festen Meinung, daß der Strom, der die deutsche Meinung zur Einheit drängt, auch ihn mitreißen wird.'"

MAE/Serie EU 1949–1955 Allemagne, Serie 4, Sousserie 6, Dossier 6: Allemagne, Relations entre l'Allemagne occidentale et l'Allemagne orientale. 1. November 1951 bis 30. September 1952. Telegramm Nr. 1990, 2. 5. 1952. Verteiler: Präsident der Republik, Präsident des Rates, Parodi, de la Tournelle, de Bourbon-Busset, Beck.

188 W. Gifford in London an Dean Acheson, 7. 5. 1952 (Dok. 106).

189 Vgl. Anm. 7.

190 US-Department of State, Intelligence Estimate No. 39, 14. 5. 1952 (Dok. 110).

191 Dok. 108.

192 *Löwenthal*, Kalter Krieg, S. 16.

193 Vgl. *Steininger*, Deutsche Geschichte, S. 396.

194 *Paul Weymar*, Konrad Adenauer. Die autorisierte Biographie, München 1955, S. 671.

195 *Baring*, Kanzlerdemokratie, 1, S. 280.

196 UP-Interview, SPD, Sonderausgabe, 17. 5. 1952.

197 Verhandlungen des Deutschen Bundestages, 1. Wahlperiode 1949, 23. 5. 1952, S. 9415 A.

198 Protokoll der II. Parteikonferenz der Sozialistischen Einheitspartei Deutschlands, 9. bis 12. Juli 1952 in Berlin, Berlin (DDR) 1952, S. 58.

199 Dok. 113.

200 Sir A. Gascoigne an Foreign Office, 26. 5. 1952. FO 371/97884/ C 1074/158.

201 G. F. Kennan in Moskau an D. Acheson, 25. 5. 1952 (Dok. 114).

202 So Acheson gegenüber Eden am 26. 5. 1952 in Paris. FO 371/97884/ C 1074/161.

203 J. McCloy in Bonn an D. Acheson, 26. 5. 1952 (Dok. 115).

204 S. Reber in Bonn an D. Acheson, 29. 5. 1952 (Dok. 119).

205 Britisches Protokoll über die Dreimächte-Begegnung in Paris, 28. 5. 1952 (Dok. 117).

206 S. Reber in Bonn an D. Acheson, 2. 6. 1952 (Dok. 121). McCloy und sein Stellvertreter Reber haben die erste sowjetische Note vom 10. März nicht etwa deshalb als ernst betrachtet, weil darin Moskaus Angebot enthalten gewesen sei, zum Kontrollrats-Regime zurückzukehren, wie Gramls Schlußfolgerung lautet. Das Kontrollrats-Regime wird erst in der 3. sowjetischen Note erwähnt. Graml kombiniert hier irrtümlich die 1. und 3. sowjetische Note und die jeweilige Interpretation der US-Hochkommission. *Graml*, 2, S. 327.

207 O. Harvey in Paris an Foreign Office, 7. 6. 1952 (Dok. 122).

208 Amerikanische Botschaft Paris an State Department, 11. 6. 1952, zit. bei *Graml*, 2, S. 336.

209 Aufzeichnung für D. Acheson, 12. 6. 1952. Secret. 662.001/6-1252.

210 O. Franks an Foreign Office, 19. 6. 1952. Secret. FO 371/97884/ C 1074/204. Vgl. auch Dok. 125.

211 *Adenauer*, Erinnerungen, 2, S. 108–122.

212 Frank Roberts an Sir W. Strang, 25. 6. 1952. FO 371/97887/C 1074/ 226.

213 Kirkpatrick an Foreign Office, 25. 6. 1952. FO 371/97886/C 1074/217.

214 Aufzeichnung von Frank Roberts vom 26. 6. 1952; FO 371/97887/ C 1074/225.

215 Abgedruckt bei *Steininger*, Deutsche Geschichte, S. 404.

216 Abgedruckt bei *Adenauer*, Erinnerungen, 2, S. 112 f.

217 Ward an Foreign Office, 3. 7. 1952. FO 371/97887/C 1074/236.

218 Teilweise abgedruckt bei *Foschepoth* (Hrsg.), Kalter Krieg, S. 376.

219 Ward an Foreign Office, 6. 7. 1952. FO 371/97887/C 1074/252.

220 Ward an Foreign Office, 7. 7. 1952. FO 371/97888/C 1074/256.

221 Ward an Foreign Office, 8. 7. 1952; ebd. C 1074/263.

222 Dok. 128.

223 Sir A. Gascoigne an Foreign Office, 20. 7. 1952. FO 371/97888/ C 1074/266.

224 Dok. 130.

225 A. Gascoigne in Moskau an Foreign Office, 25. 8. 1952; Aufzeichnung von P. F. Hancock, Foreign Office, 26. 8. 1952 (Dok. 132).

226 T. Achilles in Paris an D. Acheson, 27. 8. 1952 (Dok. 133).

227 Dok. 135.

228 Dok. 136.

229 Sir A. Gascoigne an Foreign Office, 23. 9. 1952. FO 371/97892/C 1074/349.

230 G.F. Kennan in Moskau an D. Acheson, 27. 8. 1952 (Dok. 134).

231 D. Acheson an G.F. Kennan, Tel. Nr. 378, Secret, 2. 9. 1952. 662.001/9-252.

232 Mitteilung von H. Groepper an den Verf., 3. 11. 1984.

233 *Graml*, 2, S. 341.

234 Lord Salisbury an Premierminister Churchill, 17. 8. 1953, Secret, P.M./S/53/286. FO 371/103673.
235 Aufzeichnung von F.A. Warner, Foreign Office, vom 2. 10. 1953; Secret. FO 371/103683/C 1071/481.
236 Rhöndorfer Gespräche, 5, S. 40.
237 Konrad Adenauer, Reden 1917–1967. Eine Auswahl, hrsg. von *Hans-Peter Schwarz*, Stuttgart 1975, S. 482.
238 *Küsters,* Adenauer. Teegespräche, S. 39.
239 Ebda., S. 276.
240 Vorwort zur Faksimileausgabe des „SPIEGEL" 1952, Königstein 1984.
241 DIE ZEIT, Nr. 49, 30. 11. 1984, S. 22. Besprechung des Buches von *Jochen Löser/Ulrike Schilling,* Neutralität für Mitteleuropa – das Ende der Blöcke, München 1984.
242 *Besson,* Außenpolitik, S. 129; *Paul Frank,* Entschlüsselte Botschaft. Ein Diplomat macht Inventur, Stuttgart 1981, S. 327.
243 *Besson,* Außenpolitik, S. 129.
244 Aufzeichnung vom 23. 7. 1952. FO 371/97736/C 1016/97.
245 Vgl. *Rolf Steininger,* Entscheidung am 38. Breitengrad. Die USA und der Korea-Krieg, in: Amerikastudien, 26, 1980, bes. S. 45–53.
246 Vgl. die außenpolitische Wahlkampfplattform der Republikanischen Partei vom 10. 7. 1952, in: Documents on American Foreign Relations 1952, New York 1953, S. 80–85; teilweise übersetzt in Keesing's Archiv 1952, S. 3557 f.; die Rede Eisenhowers vom 25. 8. 1952 ebda., S. 3625 f. Zum Wahlkampf insgesamt *Robert A. Divine,* Foreign Policy and U.S. Presidential Elections: 1952–1960, New York 1974.
247 Zum „New Look" vgl. *John Lewis Gaddis,* Russia, the Soviet Union and the United States, New York 1978, S. 207–213 und *ders.*, Strategies of Containment, New York/Oxford 1982, Kap. 5: Eisenhower, Dulles, and the New Look, insbes. S. 127–141; mit weiterführenden Literaturangaben.
248 *D.C. Watt,* Churchill und der Kalte Krieg. Vortrag vor der Schweizerischen Winston Churchill Stiftung am 19. 9. 1981, in: Schweizer Monatshefte, Sonderbeilage, H. 11, 1981, S. 1–24, hier S. 17.
249 *Lord Moran,* Churchill. Der Kampf ums Überleben 1940–1965, München/Zürich 1967.
250 Vgl. hierzu auch die Schilderung bei *Moran,* Churchill, S. 385–391.
251 *Harold Macmillan,* Tides of Fortune, London 1969, S. 507.
252 *Watt,* S. 18.
253 Vgl. *Moran,* Churchill, S. 456 f., S. 443. Zum Folgenden ausführlicher *Rolf Steininger,* Ein vereintes, unabhängiges Deutschland? Winston Churchill, der Kalte Krieg und die deutsche Frage im Jahre 1953, in: Militärgeschichtliche Mitteilungen, 2, 1984, S. 105–144, sowie *Josef Foschepoth,* Churchill, Adenauer und die Neutralisierung Deutschlands, in: Deutschland Archiv, 12, 1984, S. 1286–1301.

254 „Top Secret, Personal and Private"; Churchill am 11. 3. 1953 an Eisenhower (Dok. 137a).

255 Eisenhower am 12. 3. 1953 an Churchill (Dok. 137b).

256 Sir A. Gascoigne an FO, 27. 3. 1953. FO 371/106533/NS 1051/17.

257 H.A.F. Hohler am 28. 3. 1953. FO 371/106537/NS 1071/40.

258 Aufzeichnung Strang vom 28. 3. 1953. Ebda.

259 Message from the Prime Minister, telephoned 3.45 p.m. on 28th March, 1953. FO 371/106537/NS 1071/40.

260 Vgl. hierzu *Steininger*, Churchill, S. 117 ff.

261 Vgl. Anm. 263.

262 Churchill an Eisenhower, 4. 5. 1953 (Dok. 138a).

263 Eisenhower an Churchill, 5. 5. 1953 (Dok. 138b).

264 Churchill an Eisenhower, 6. 5. 1953 (Dok. 138c).

265 Eisenhower an Churchill, 8. 5. 1953. PREM 11/421.

266 Parliamentary Debates, Hansard, Vol. 515, S. 887–902.

267 Vgl. Anm. 260.

268 Dok. 66.

269 FO 371/97884. M 303/52. Anführungsstriche im Orig.

270 Vgl. Anm. 266.

271 „A united, neutralized Germany". Memorandum des Foreign Office, 30. 5. 1952 (Dok. 139a).

272 Sir Winston Churchill an Sir William Strang, 31. 5. 1953 (Dok. 139b).

273 Zum Besuch Adenauers vgl. dessen Bericht in seinen Erinnerungen, 2, S. 205–208. Den Eindruck, den Churchill auf seine deutschen Besucher machte, schildert *Herbert Blankenhorn*, Verständnis und Verständigung, S. 150 f.; vgl. auch *Steininger*, Churchill, S. 129.

274 *Adenauer*, Erinnerungen 2, S. 217 f.

275 Die Forderungen lauteten: 1. Abhaltung freier Wahlen für ganz Deutschland. 2. Bildung einer freien Regierung für ganz Deutschland. 3. Abschluß eines mit dieser Regierung frei vereinbarten Friedensvertrages. 4. Regelung aller noch offenen territorialen Fragen in diesem Friedensvertrag. 5. Sicherung der Handlungsfreiheit für ein gesamtdeutsches Parlament und eine gesamtdeutsche Regierung im Rahmen der Grundsätze und der Ziele der Vereinten Nationen. Text in: *Heinrich Siegler* (Hrsg.), Dokumentation zur Deutschlandfrage, Bonn/Wien/Zürich 1961, S. 172.

276 In der Protestnote hieß es u. a.: „Wir verurteilen den unverantwortlichen Rückgriff auf militärische Gewalt, der zur Tötung oder ernstlichen Verwundung einer beträchtlichen Anzahl von Berliner Bürgern, einschließlich von Einwohnern unserer Sektoren führte. Wir protestieren gegen die willkürlichen Maßnahmen der sowjetischen Behörden, die zur Unterbrechung des Verkehrs zwischen den Sektoren und zur Einschränkung der Bewegungsfreiheit in ganz Berlin geführt haben". Text der Note in: Der Volksaufstand vom 17. Juni

1953, hrsg. vom Bundesministerium für gesamtdeutsche Fragen, Bonn 1953, S. 84.

277 Aufzeichnung PM 215/53 vom 19. 6. 1953 (FO 371/103842/CS 1016/124).

278 Das Dokument vollständig bei *Steininger*, Churchill, S. 130 f.

279 Ebda., S. 131–136.

280 Memorandum von Winston Churchill, 6. 7. 1953 (Dok. 141).

281 Vgl. *Steininger*, Churchill, S. 121 f.

282 So Schatzminister Butler in der Kabinettsitzung am 13. 7. 1953 (CAB 128/26).

283 *Lord Moran*, Churchill, S. 466.

284 Kirkpatrick an Foreign Office, 1. 4. 1953. FO 371/103848/CS 1017/6.

285 Dies zumindest teilte Salisbury nach der Rückkehr aus Washington Churchill mit; vgl. *Watt*, (wie Anm. 248), S. 19, der sich auf ein Interview mit Sir John Colville bezieht.

286 *Lord Moran*, Churchill, S. 466.

287 So zumindest der damalige Berliner Bezirkssekretär der SED, Heinz Brandt, der nach dem 17. Juni in die Bundesrepublik flüchtete, dann vom Staatssicherheitsdienst der DDR entführt und 1964 nach dreijähriger Gefängnishaft freigelassen wurde. Vgl. sein Buch: Ein Traum, der nicht entführbar ist, München 1967, bes. S. 209–223. Darauf verweist auch *Richard Löwenthal* in seiner Einleitung zu *Arnulf Baring*, Der 17. Juni 1953, Stuttgart, 1983³, S. 18.

288 *Löwenthal*, Kalter Krieg, S. 20.

289 Selbst noch unmittelbar vor und nach der Ratifizierung der Pariser Verträge 1955 (Souveränität und NATO-Beitritt) hat die Sowjetunion Bereitschaft signalisiert, über diese Frage zu sprechen (Freundl. Mitteilung des ehemaligen deutschen Botschafters in Moskau, H. Groepper, vom 3. 11. 1984, der sich auf ein Gespräch mit Botschafter Semjonow in der sowjetischen Botschaft in Wien 1955 bezieht). Vgl. auch die Tagebucheintragung von Heinrich Krone vom 10. und 30. Juni 1955 in: *Klaus Gotto*, Neue Dokumente zur Deutschland- und Ostpolitik Adenauers (= Adenauer-Studien III, hrsg. von Rudolf Morsey und Konrad Repgen), Mainz 1974, S. 139 f.

290 Vgl. *Carola Stern*, Ulbricht, Köln 1963, S. 180.

291 Vgl. *Löwenthal*, Kalter Krieg, S. 20.

292 *Löwenthal*, S. 15 f. (wie Anm. 287).

293 *Hans-Peter-Schwarz*, Die Ära Adenauer 1957–1963, Stuttgart/Wiesbaden 1983 (= Geschichte der Bundesrepublik Deutschland, Bd. 3), S. 374.

294 Ebda.

295 Vgl. Anm. 8.

296 Auf der Sitzung des Bundestagsausschusses für gesamtdeutsche Fragen gab Staatssekretär Hallstein am 9. Oktober 1952 zur Frage der Wiedervereinigung eine grundsätzliche Erklärung ab, in der er u. a.

betonte: „[...] Was die Haltung Sowjetrußlands beträfe, ginge jede Überlegung, die eine positivere *Einstellung der Sowjets zur Wiedervereinigungsfrage* annähme, von der Hypothese aus, daß Sowjetrußland nicht entschlossen sei, unter allen Umständen ganz Deutschland zu bolschewisieren. Staatssekretär Hallstein erklärte, daß diese Einstellung nicht ganz selbstverständlich sei [...] Der Gedanke der Wiedervereinigung in Freiheit schließe aus, sich mit einem Herrschaftsinteresse der Sowjetunion zu identifizieren. Die andere Frage sei die, ob die Sowjetunion durch einen für uns zahlbaren Preis gewonnen werden könne. Staatssekretär Hallstein sah sich an dieser Stelle veranlaßt, grundsätzlich auf das *Problem des Preises* einzugehen. Er erklärte, daß er sich in Sorge wegen der Unbefangenheit befände, mit der das *Problem eines Preises an Sowjetrußland* überhaupt erörtert werde. Die Gewohnheit habe sich eingebürgert, von diesem Preis mit einer Selbstverständlichkeit zu sprechen, die in keiner Weise gegeben sei: Er sei kein Illusionist; es gäbe in der Politik Situationen, in denen man den Fakten nüchtern Rechnung tragen müsse. Aber es sei prinzipiell und politisch falsch, so zu tun, als habe Sowjetrußland Recht, wenn es für die Freigabe eines von ihm gefesselten Gebietes einen Preis fordere. Wir dürften das nicht zugeben. Als prinzipielle These müsse festgehalten werden, daß das, was wir forderten, uns gehöre [...]." (Hervorhebungen im Orig.) Politisches Archiv des Auswärtigen Amts, Bonn, 202-06II.

297 5. 12. 1953; FRUS, 1952–1954, vol. V, 2, S. 1783.

298 Zit. bei *Andreas Hillgruber*, Europa in der Weltpolitik (1945–1963), München/Wien 1981, S. 70. Vgl. hierzu *Rolf Steininger,* Das Scheitern der EVG und der Beitritt der Bundesrepublik zur NATO, in: Aus Politik und Zeitgeschichte, B 17/85, 27. 4. 1985, S. 3–18.

299 Neben den schon genannten Beispielen sei hier auch auf ein Gespräch zwischen dem langjährigen französischen Außenminister Georges Bidault und dem britischen Botschafter in Paris, Sir Oliver Harvey, hingewiesen. Bidault äußerte gegenüber Harvey Ende Juni 1953, ein vereintes Deutschland sei unvereinbar mit der EVG, mit anderen Worten: „EVG und westliche Integration könne es nur bei Fortdauer der deutschen Teilung geben." Harvey kommentierte, dies sei zwar „Häresie", jeder, einschließlich Adenauers und der französischen Regierung, habe sich öffentlich immer mit Nachdruck für eine Wiedervereinigung ausgesprochen, er werde aber das Gefühl nicht los, daß es genau dies sei, wovor die Franzosen am meisten Angst hätten. Er selbst könne sich ein vereintes Deutschland mit 60 oder 70 Millionen Einwohnern auch nur schwer als Mitglied der EVG vorstellen. Frankreich und die übrigen Mitglieder wären dann in einer hoffnungslosen Minderheit. Auf der anderen Seite würde ein vereintes Deutschland das Ende Adenauers und der CDU-Mehrheit bedeuten und die Sozialisten an die Macht bringen, die gegen die Integration

seien. Da es unwahrscheinlich sei, daß die Sowjetunion das Risiko eines vereinten Deutschland als Mitglied des westlichen Lagers akzeptieren würde, genausowenig wie der Westen das Risiko eines vereinten Deutschland als Mitglied des östlichen Lagers akzeptieren würde, gäbe es wohl nur zwei Möglichkeiten: Entweder ein vereintes Deutschland unter Vier-Mächte-Kontrolle, neutralisiert, wenn nicht gar entmilitarisiert, oder ein geteiltes Deutschland, wie man es zur Zeit habe, wobei der westliche Teil nicht nur vorübergehend, sondern für immer ins westliche Lager integriert werde und der östliche Teil wie Polen ein russischer Satellitenstaat bleibe. O. Harvey an Foreign Office, 29. 6. 1953. FO 371/103666/C 1071/62.

300 Vgl. das Protokoll der Unterredung Adenauer-Dulles bei *Steininger*, Deutsche Geschichte, S. 506.

301 Vgl. oben S. 72 und Dok. 53. J. McCloy, Bonn, an D. Acheson, 29. 3. 1952 (Dok. 53).

302 Adenauer-Studien III, S. 162.

303 Ebda., S. 165 f.

304 H.-P. Schwarz, in: Rhöndorfer Gespräche, 5, S. 10.

305 Nur 26 Prozent waren dagegen. 1978 lag die Zahl der Befürworter bei 38, die der Gegner bei 34 Prozent. (1979: 49/26; 1980: 47/27; 1981: 54/24; 1982: 51/23; 1983: 55/22). Bedingungen für die Wiedervereinigung: Die DDR tritt aus dem Warschauer Pakt aus, die Bundesrepublik aus der NATO. Das wiedervereinigte Deutschland könnte sein Gesellschaftssystem in freien und geheimen Wahlen selbst bestimmen, Neutralität und Bündnisfreiheit müßten garantiert sein. Vgl. Allensbacher Archiv, IfD-Umfrage 4040, März 1984.

Hinweise
zur parallel veröffentlichten Dokumentation

In der Dokumentation werden 169 bisher nicht veröffentlichte Dokumente abgedruckt. Die britischen Dokumente stammen aus dem Public Record Office in London; das Copyright der britischen Krone wird ausdrücklich anerkannt. Die amerikanischen Dokumente wurden noch während der Regierungszeit von Präsident Carter vom State Department in Washington zur Verfügung gestellt. Foreign Office und State Department haben nicht sämtliche Akten freigegeben. Im Public Record Office fehlen einzelne Stücke; in den amerikanischen Dokumenten sind von Fall zu Fall einzelne Textstellen vor der „Deklassifizierung" geschwärzt worden. Die Freigabepraxis des State Department läßt im übrigen keine Rückschlüsse darauf zu, welche Aktenstücke ganz zurückgehalten worden sind. Es wurde lediglich mitgeteilt, daß es in diesen Dokumenten um Angelegenheiten von „fortdauernder Sensitivität im Zusammenhang mit den amerikanisch-europäischen Beziehungen" gehe; sie enthielten Informationen über die Außenpolitik der USA und anderer Staaten, „deren Bekanntgabe die Sicherheit der USA gefährden könne".

Der größte Teil der britischen Dokumente ist dem Bestand FO 371 (General Political Correspondence) entnommen, einige Stücke dem Bestand FO 1008 (UK-High Commissioner, Secretariat), FO 1030 (UK-High Commissioner, Private Office, Wahnerheide), CAB 128 (Cabinet Papers), PREM 411 (Prime Minister's Office). Da die amerikanischen Akten noch nicht den National Archives übergeben worden sind, wird die entsprechende Archivierungsnummer des State Department angegeben.

Mit Ausnahme von Dokument 104a, das sich im Public Record Office in London befindet, und einigen Stücken, die von Mitarbeitern des Quai d'Orsay freundlicherweise zur Verfügung gestellt wurden, war es leider nicht möglich, französisches Material zu erhalten. Die entsprechenden Akten werden z. Z. deklassifiziert; es ist noch nicht abzusehen, wann sie der Forschung zur Verfügung stehen werden. So bedauerlich dies auf der einen Seite auch ist, so läßt sich doch auf der anderen Seite die französische Position relativ gut aus den vorliegenden britischen und amerikanischen Dokumenten erschließen. Die Archivsituation auf deutscher Seite ist ebenfalls ein schwieriges Kapitel. Mit Ausnahme der in Anmerkung 296 zitierten Äußerungen von Prof. Hallstein war es nicht möglich, regierungsamtliche Materialien zu erhalten. Die Protokolle der CDU-Bundestagsfraktion 1950–1954 sind „unauffindbar verschollen" (freundliche Auskunft von Dr. K. Gotto, Archiv für Christlich-Demokratische Politik). Es erübrigt sich beinahe, auf die Archivsituation in Moskau hinzuweisen: Sie ist und bleibt hoffnungslos.

Die Wochen vom Eingang der Stalin-Note bis zum Ende der „Notenschlacht" im Mai 1952 waren eine Zeit hektischer diplomatischer Tätigkeit. Entsprechend umfangreich ist das Material. Der Herausgeber hat sich entschlossen, diese entscheidende Phase sehr ausführlich zu dokumentieren, so daß hier der Entscheidungsprozeß auf westlicher Seite detailliert nachvollzogen werden kann; etwa neunzig Prozent des vorliegenden Materials wurden abgedruckt. Die Entwicklung nach dem 26./27. Mai wurde angesichts des knapp bemessenen Raumes nur in den Grundlinien dokumentiert. Dies schien auch insofern vertretbar, als die grundsätzliche Entscheidung bereits gefallen war – trotz des französischen Konferenzvorschlages Anfang Juni. Ergänzend werden einige Stücke aus den Jahren 1950, 1951 und 1953 wiedergegeben, die die Überlegungen im Zusammenhang mit der „Stalin-Note" und dem Thema „Wiedervereinigung" in einen größeren Zusammenhang stellen.

Um im vorgegebenen Rahmen möglichst viele Dokumente abdrucken zu können, wurden die üblichen Kopfregesten betr. Fundort, Klassifizierung, Datum, Absender, Empfänger etc. in die Fußnoten übernommen. Angaben zu Personen finden sich im Register, aufgeführt werden die für den Zeitraum der Dokumentation relevanten Funktionen der betreffenden Personen. State Department und US-Missionen im Ausland haben in ihrer Korrespondenz untereinander eine spezielle „Schriftsprache" entwickelt; es werden immer wieder Abkürzungen verwendet, die die Lektüre für Außenstehende manchmal sehr erschweren. Der Herausgeber hat sich daher entschlossen, diese Abkürzungen im Text stillschweigend aufzulösen; um welche Wörter es sich im einzelnen handelt, kann aus dem Abkürzungsverzeichnis erschlossen werden. Orthographische Fehler wurden ebenfalls stillschweigend korrigiert.

Das gesamte Material ist im Institut für Zeitgeschichte der Universität Innsbruck archiviert und kann dort jederzeit eingesehen werden.

Literaturauswahl

(In fast allen Darstellungen zur deutschen Geschichte nach 1945 wird die „Stalin-Note" behandelt; im folgenden werden in der Regel nur die Arbeiten aufgeführt, die sich ausführlicher oder ausschließlich mit diesem Thema beschäftigen.)

Achminov, Herman, Die sowjetische Deutschlandpolitik in den Jahren 1952/53, in: Osteuropa, 14, 1964, S. 251–257.

Adenauer, Konrad, Erinnerungen, Bd. 2, Stuttgart 1966.

Azzola, Axel C., Die Diskussion um die Aufrüstung der BRD im Unterhaus und in der Presse Großbritanniens November 1949 bis Juli 1952, Meisenheim am Glan 1971.

Badstübner, Rolf/Thomas, Siegfried, Entstehung und Entwicklung der BRD. Restauration und Spaltung 1945–1955, Berlin (DDR)/Köln 1975.

Baring, Arnulf, Außenpolitik in Adenauers Kanzlerdemokratie, 2 Bde., München 1971 (dtv-Ausgabe).

Besson, Waldemar, Die Außenpolitik der Bundesrepublik. Erfahrungen und Maßstäbe, München 1979.

Bürger, G. A., Die Legende von 1952. Zur sowjetischen Märznote und ihrer Rolle in der Nachkriegspolitik, Celle 1959.

Bracher, Karl Dietrich, Weichenstellungen deutscher Politik in den Anfängen der Bundesrepublik, in: Die moderne Demokratie und ihr Recht, Bd. 1, Tübingen 1966, S. 15–34.

Bucerius, Gerd, Verpaßte Chancen für die Abwendung unserer Teilung? In: DIE ZEIT, Nr. 17, 20. 4. 1984, S. 15 f.

Buchheim, Hans, Die Legende von der verpaßten Gelegenheit, in: „Frankfurter Allgemeine Zeitung", 15. 4. 1969

Buchheim, Hans, Deutschlandpolitik 1949–1972. Der politisch-diplomatische Prozeß, Stuttgart 1984 (vgl. o., S. 131, Anm. 9).

Dittmann, Knud, Adenauer und die deutsche Wiedervereinigung. Die politische Diskussion des Jahres 1952, Düsseldorf 1981.

Dönhoff, Marion Gräfin, Deutsche Außenpolitik von Adenauer bis Brandt, Hamburg 1970.

Doering-Manteuffel, Anselm, Die Bundesrepublik Deutschland in der Ära Adenauer, Darmstadt 1983.

Düwell, Klaus, Entstehung und Entwicklung der Bundesrepublik Deutschland 1945–1961, Köln/Wien 1981.

Erdmenger, Klaus, Das folgenschwere Mißverständnis. Bonn und die sowjetische Deutschlandpolitik 1949–1955, Freiburg 1967.

Erfurt, Werner (= W. von Lojewski), Die sowjetrussische Deutschlandpolitik 1945–1955, Esslingen 1956.

Foschepoth, Josef, Churchill, Adenauer und die Neutralisierung Deutschlands, in: Deutschland Archiv, 12, 1984, S. 1286–1301.

Foschepoth, Josef (Hrsg.), Kalter Krieg und Deutsche Frage. Deutschland im Widerstreit der Mächte 1945–1952, Göttingen 1985.

Foschepoth, Josef/Steininger, Rolf (Hrsg.), Die britische Deutschland- und Besatzungspolitik 1945–1949, Paderborn 1985.

Frank, Paul, Entschlüsselte Botschaft. Ein Diplomat macht Inventur, Stuttgart 1981

Graml, Hermann, Nationalstaat oder westdeutscher Teilstaat? Die sowjetischen Noten vom Jahre 1952 und die öffentliche Meinung in der Bundesrepublik Deutschland, in: Vierteljahrshefte für Zeitgeschichte, 25, 1977, S. 821–864.

Graml, Hermann, Die Legende von der verpaßten Gelegenheit. Zur sowjetischen Noten-Kampagne des Jahres 1952, in: Vierteljahrshefte für Zeitgeschichte, 29, 1981, S. 307–341.

Grewe, Wilhelm, Deutsche Außenpolitik der Nachkriegszeit, Stuttgart 1960.

Grewe, Wilhelm, Rückblenden 1976–1951. Aufzeichnungen eines Augenzeugen deutscher Außenpolitik von Adenauer bis Schmidt, Frankfurt/ Berlin/ Wien 1979.

Grewe, Wilhelm, Ein zählebiger Mythos: Stalins Note vom März 1952, in: „Frankfurter Allgemeine Zeitung", 10. 3. 1982, S. 11.

Hillgruber, Andreas, Adenauer und die Stalin-Note vom 10. März 1952, in: Konrad Adenauer und seine Zeit. Politik und Persönlichkeit des ersten Bundeskanzlers, Band 2, Beiträge der Wissenschaft, hrsg. von Dieter Blumenwitz, Klaus Gotto, Hans Maier, Konrad Repgen, Hans-Peter Schwarz, Stuttgart 1976, S. 111–130.

Hillgruber, Andreas, Europa in der Weltpolitik der Nachkriegszeit (1945–1963), München/Wien 1981.

Hillgruber, Andreas, Deutsche Geschichte 1945–1982. Die „deutsche Frage" in der Weltpolitik, Stuttgart 1983[4].

Hoffmann, Joachim/Ripper, Werner (Hrsg.), Die beiden deutschen Staaten und ihre Integration in die Paktsysteme (1949–1955), Frankfurt/ Berlin/München 1984.

Jäckel, Eberhard (Hrsg.), Die deutsche Frage 1952–1956. Notenwechsel und Konferenzdokumente der vier Mächte, Frankfurt/Berlin 1957.

Jaenicke, Heinrich, 30 Jahre und ein Tag. Die Geschichte der deutschen Teilung, Düsseldorf/Wien 1974.

Kleßmann, Christoph, Die doppelte Staatsgründung. Deutsche Geschichte 1945–1955, Bonn 1982.

Klotzbach, Kurt, Der Weg zur Staatspartei. Programmatik, praktische Politik und Organisation der deutschen Sozialdemokratie 1945 bis 1965, Berlin/Bonn 1982.

Koch, Dieter, Heinemann und die Deutschlandfrage, München 1972.

Kosthorst, Erich, Jakob Kaiser. Bundesminister für gesamtdeutsche Fragen 1949–1957, Stuttgart/Berlin/Köln/Mainz 1972.

Küsters, Hans Jürgen (Bearb.), Adenauer, Teegespräche. 1950–1954, Berlin 1984.

Laeuen, H., Berijas Deutschlandpolitik, in: Osteuropa, 14, 1964, S. 257 ff.

Loth, Wilfried, Die Teilung der Welt, Geschichte des Kalten Krieges 1941–1955, München 1980, 1982².

Loth, Wilfried, Träume vom Deutschen Reich. Gefahren einer Wiedervereinigung für das europäische Gleichgewicht und den Frieden, in: DIE ZEIT, Nr. 42, 12. 10. 1984, S. 73–78.

Löwenthal, Richard, Vom Kalten Krieg zur Ostpolitik, Stuttgart 1974.

Löwenthal, Richard, Einleitung zu Arnulf Baring, Der 17. Juni 1953, Stuttgart 1983.

Majonica, Ernst, Der Mythos einer Note. Ein Beitrag zur sowjetischen Deutschlandpolitik, in: Politische Studien, 1959, S. 235 ff.

März, Peter, Die Bundesrepublik zwischen Westintegration und Stalin-Noten. Zur deutschlandpolitischen Diskussion 1952 in der Bundesrepublik vor dem Hintergrund der westlichen und der sowjetischen Deutschlandpolitik, Frankfurt/Bonn 1982.

Marienfeld, Wolfgang, Das Deutschlandproblem in seiner geschichtlichen Entwicklung, Hannover 1981.

Meissner, Boris, Rußland, die Westmächte und Deutschland. Die sowjetische Deutschlandpolitik 1943–1953, Hamburg 1953, ²1954.

Meissner, Boris, Die Sowjetunion und die deutsche Frage 1949–1955, in: Dietrich Geyer (Hrsg.), Sowjetunion. Außenpolitik 1917–1955 (Osteuropa-Handbuch), Köln/Wien 1972, S. 449–501.

Meyer, Gerd, Die sowjetische Deutschland-Politik im Jahre 1952, Tübingen 1970.

Nolte, Ernst, Deutschland und der Kalte Krieg, München 1974, 1985².

Osten, W., Die Deutschlandpolitik der Sowjetunion in den Jahren 1952/53, in: Osteuropa, 14, 1964, S. 1 ff.

Pfeiler, Wolfgang, Das Deutschlandbild und die Deutschlandpolitik Josef Stalins, in: Deutschland Archiv, 12, 1979, S. 1258–1282.

Pünder, Hermann, Von Preußen nach Europa. Lebenserinnerungen, Stuttgart 1968.

Schmid, Carlo, Erinnerungen, Bern/München/Wien 1979.

Schubert, Klaus von, Wiederbewaffnung und Westintegration. Die innere Auseinandersetzung um die militärische und außenpolitische Orientierung der Bundesrepublik 1950–1954, Stuttgart 1970.

Schubert, Klaus von (Hrsg.), Sicherheitspolitik der Bundesrepublik Deutschland. Dokumentation 1945–1977, Teil I, Köln 1978.

Schwarz, Hans-Peter, Das Spiel ist aus und alle Fragen offen, in: Konrad Adenauer 1876/1976, hrsg. von Helmut Kohl, Stuttgart 1976, S. 171 ff.

Schwarz, Hans-Peter, Die Ära Adenauer 1949–1957 (= Geschichte der Bundesrepublik Deutschland, Bd. 2) Stuttgart 1981.

Schwarz, Hans-Peter (Hrsg.), Die Legende von der verpaßten Gelegenheit. Die Stalin-Note vom 10. März 1952 (= Rhöndorfer Gespräche, Bd. 5), Stuttgart/Zürich 1982.

Sethe, Paul, Zwischen Bonn und Moskau, Frankfurt 1956.

Sethe, Paul, Die sowjetische Note vom 10. März 1952, in: Deutschland und die Welt. Zur Außenpolitik der Bundesrepublik 1949–1963, hrsg. von Hans-Adolf Jacobsen/Otto Stenzel, München 1964, S. 116–125.

Steininger, Rolf, Deutsche Geschichte 1945–1961, 2 Bde., Frankfurt 1983, 1984/85[2] (Fischer-Taschenbücher)

Steininger, Rolf, Entscheidung am 38. Breitengrad. Die USA und der Korea-Krieg, in: Amerikastudien 26, 1981, S. 40–76.

Steininger, Rolf, Wie die Teilung Deutschlands verhindert werden sollte – Der Robertson-Plan aus dem Jahre 1948, in: Militärgeschichtliche Mitteilungen, 33, 1983, S. 49–89.

Steininger, Rolf, Ein vereintes, unabhängiges Deutschland? Winston Churchill, der Kalte Krieg und die deutsche Frage im Jahre 1953, in: Militärgeschichtliche Mitteilungen, 34, 1984, S. 105–144.

Steininger, Rolf, Die Stalin-Note vom März 1952 – eine Chance zur Wiedervereinigung? In: Josef Foschepoth (Hrsg.), Kalter Krieg und Deutsche Frage. Deutschland im Widerstreit der Mächte 1945–1952, Göttingen 1985, S. 362–379.

Steininger, Rolf, Das Scheitern der EVG und der Beitritt der Bundesrepublik zur NATO, in: Aus Politik und Zeitgeschichte, Beilage zum „Parlament", B 17/85, 27. 4. 1985, S. 3–18.

Steininger, Rolf, Germany, Great Britain and European-American Relations: Developments since 1945, in: Andreas Maislinger (Ed.), European-American Relations, New Orleans 1985 (Publications of the University of New Orleans).

Vogelsang, Thilo, Das geteilte Deutschland, München 1980[10].

Wagner, Wolfgang, Wiedervereinigung Modell 1952. Der Versuch einer Legendenbildung in der deutschen Innenpolitik, in: Wort und Wahrheit, 13, 1958, S. 175 ff.

Weber, Jürgen, Das sowjetische Wiedervereinigungsangebot vom 10. März 1952. Versäumte Chancen oder trügerische Hoffnung? In: Aus Politik und Zeitgeschichte, Beilage zum „Parlament", B 50/69, 13. 12. 1969, S. 3–30; dazu die Kontroverse zwischen G. W. Zickenheimer und J. Weber, ebda., 1970, Nr. 40, S. 35–37, S. 37–40.

Wettig, Gerhard, Entmilitarisierung und Wiederbewaffnung in Deutschland 1943–1955, München 1967.

Wettig, Gerhard, Der publizistische Appell als Kampfmittel. Die sowjetische Deutschland-Kampagne vom Frühjahr 1952, in: Wettig, Gerhard, Politik im Rampenlicht, Frankfurt 1967, S. 136–184.

Wettig, Gerhard, Die sowjetische Deutschland-Note vom 10. März 1952. Wiedervereinigungsangebot oder Propagandaaktion? in: Deutschland Archiv, 2, 1982, S. 130–148.